離島の本屋〔りとうのほんや〕ふたたび

大きな島と小さな島で
本屋の灯りをともす人たち

朴順梨

ころから

ふたたびの旅のまえに

日本列島というだけあり、日本には北海道や本州、四国、九州といった日頃は「島」と意識されていない島を含めて6852島もの島がある。この4つを含めて308島に人が住んでいるという（公益財団法人　日本離島センター『しましまネット』より）。

2005年より私は、全国の島にある本屋さんを訪ね歩いてきた。きっかけはNPO本屋大賞実行委員会が発行するフリーペーパー『LOVE書店！』にて、『離島の本屋』という連載を担当することになったことだ。

このフリーペーパーは本屋大賞を応援するべく発行されているものだが、創刊準備をしていた2005年の冬頃、東京・聖蹟桜ヶ丘の書店で主任をしていた高頭佐和子さん（現在は本屋大賞実行委員会理事）が、「小さな島にある本屋さんの軒下で、日がな一日お店のおばあちゃんと話をしたりとかって、楽しそうだよね」と言い、それを聞いた編集長の嶋浩一郎さんが「じゃあ朴さん取材に行ってきて」と言ったことで、連載の企画が生まれた。その間、わずか1分と記憶している。中国のECサイト・アリババの創業者のジャック・マーに出会ってすぐに、孫正義はアリババへの投資を決めたという逸話を聞いたことがあるが、この時の私たちは、孫正義とタメを張るスピードだったのではないかと思う。

何ひとつあてもつてもない中、いまや懐かしのタウンページなどを頼りにまさに徒手空拳で取材を始めた。最初の頃は「うちに来ても何もないよ」「なんでうちに?」と言われることばかりだったが、本当に「何もない」なんてことは一度もなく、離島の本屋は驚きと発見に満ちていた。

あちこち訪ねるうちに、人口5000人以上の島には大抵本屋があることがわかったり、本屋大賞の知名度がぐんぐんあがっていったりしたことで、取材もスムーズに進められるようになった。そして2013年には『離島の本屋』というタイトルで、1冊の本にまとめることができた。今回は、その続編にあたるというわけだ。単行本の『離島の本屋』は2006年から2013年までの連載と書き下ろしを収録しているが、『LOVE書店!』自体の発行が途中で年3回発行から1回になったため、「続巻をだすのに3倍かかりそう。ということは20年ぐらい先かなあ」と漠然と思っていた。しかしその半分以下の、7年後に出すことが叶った。

大きな理由としては、朝日新聞社のDANROというサイト(現在はコルトネットが運営）で、『離島の本屋ひとり旅』と題したスピンオフ連載ができたことだ。ウェブは紙媒体と違って厳格なスペースの制限がないので（とはいえ、限度というものがあるのも事実だ。やたら冗長なウェブ記事は読みにくいったらありゃしない）、本編の倍以上の文字数を書くことができた。その上「〃ひとり時間〃を充実させるためのヒントがみつかるウェブメディア」という触れ込みのサイトだったので、ひとり取材にこだわりさえすれば、以前訪ねた場所に再訪したり、離島以外や古本屋にも行くこともできた（書店員が運営する『LOVE書店！』では新刊書店を紹介するお約束に）。

そういう事情から訪ねた島の数は前回よりもかなり少ないものの、その分じっくり話を聞いているのが特徴だ。

そして、『離島の本屋』を未読でも読めることにこだわっているものの、足かけ15年のうちの7年半分を再編しているので、時系列がやや前後する箇所があることをお許しいただきたい。

初めましての方は、どうぞよろしくおねがいします。前回も参加してくださった方は、お待たせいたしました。どちらさまもご一緒に、7年ぶりの離島を巡る旅を、再び始めることにしよう。

もくじ

※登場する人物の年齢や学年、また人口や書店軒数などは注記がない限り取材当時のものです。

止まりながら流れる本屋の時間

沖縄本島（沖縄県）

本屋大賞PR誌『LOVE書店!』とウェブメディアのDANROの連載分と合わせて2016年から2019年にかけて、沖縄には3回足を運んだ。本屋取材を目的にした3回が、多いか少ないかは判断つきかねる。だが、何度も行けばその場所での出会った人との縁が、深くなっていくものだ。なかでも沖縄の出版社ボーダーインクの喜納(きな)えりかさんとは、沖縄に行くたびに連絡しあうようになった。喜納さんは編集者のかたわら、2013年から続く『ブックパーリーOKINAWA』という、沖縄県内の書店と古書店、そして出版関係者による本のお祭りの実行委員会のメンバーで、本に関係する人たちと「炭酸水」というバンドを組んでいる。一言でまとめると、沖縄の本屋事情を深く知る人物だ。

うるま市の本屋はおもしろい?

「うるま市の本屋って、どこもかなり特色があるんですよね」

2019年に行った際に、喜納さんはそんなことを言っていた。しかしこの時は

うるま市
那覇市

うるま市まで行く時間がなく、未踏のまま戻った。だからこの文章を書くために沖縄に行こうと決めた2020年は、うるま市の本屋巡り一択で計画することにした。

「今度久々に沖縄に行くので、うるま市の本屋を教えてください」

緊急事態宣言の解除後にメールを送ると、喜納さんや仲間たちによる「本屋めぐり隊」のメンバーでまさに、うるま市の本屋巡りを計画していたところだ、というレスが返ってきた。しかもその仲間に、私も入れてくれるという。これは！　と思いコロナ禍の切れ間のようなタイミングを狙って、沖縄を目指した。

喜納さんとは那覇市内のジュンク堂書店前で待ち合わせ、そこから車で新都心方面に向かった。新都心のあたりは沖縄戦の時に「シュガーローフ」と呼ばれた場所で、米軍によって焼け野原にされ、多数の死傷者が出た激戦の地だと教えてくれた。そのシュガーローフの一角にあるマンションで筒井陽一さんと由子さんご夫婦と合流し、さらに近くのTSUTAYAで、宜壽次美智さんとも合流した。陽一さんは「離島の本屋」ではもうおなじみの、リブロリウボウブックセンター店のスタッフだったが、古書店を開くために今年に入り退社した。由子さんも都内のリブロにかつて勤務していたことがあり、宜壽次さんはグラフィックデザイナー。宜壽次さんと陽一さんもバンド・炭酸水のメンバーでもあるそうだ。

5人を乗せた車窓から見える、整然と並ぶDFSやTSUTAYAのビル群からは、とても激戦など想像できない。しかし新しめなビルが並んでいるということは、終戦後長らく米軍に接収されたのちに再開発されたことを示している。強い日差しに

本屋めぐり隊メンバーと天久さん（右から2人目）

目を細めながら、コロナ禍で「ブックパーリーOKINAWA2020」の予定がまだ立たないことや（取材後の9月に、実施見送りが決定）、県内の書店事情などを聞いているうちに、車は那覇市を抜けて浦添市に入っていた。

喜納さんと、宜壽次さんの夫がうるま市出身であるものの、私も含めてうるま市の本屋を巡るのは、これが初めて。金武町や恩納村がある国頭郡や名護市、コザと呼ばれる沖縄市などには行ったことはあれど、うるま市はこれまで、ミュージシャンで天国帰りの猫の「むぎ（猫）」ちゃんが暮らしているというぐらいの認識しかなかった。だから5キロ近くある海の上の橋・海中道路で繋がる宮城島や伊計島などがうるま市にあること、喜納さんのルーツが宮城島であることを私はこの時まで知らなかった。

「6月に入ってからこのメンバーで、うるま市の書店が面白いって話をしてたんです。そしたらちょうど朴さんから連絡があって」

どう面白いのかは言葉ではわからないものの、期待が高まってきた。1軒目は安慶名という地区にある、教学館という書店を目指すという。と、その前にせっかく沖縄に来たのだからBOOKSじのん〈☞82ページ〉の、天久斉さんに挨拶していこうということになった。

この約2年半前の取材以来の再会で、なんと古本の「21円均一コーナー」に私がかつて書いた本が置かれていた。自分の本を古本屋で見かけた時は、コンディションにもよるが献本用にサルベージしている。でも21円ならうっかり誰かが買うかもしれないと思い、今回はそのままにした。天久さんは恐縮しきりという表情だったけ

じのんで自著発見

れど、古本屋にあるということは誰かに読まれたということ。沖縄の人が私の本を読んでくれていたことが、実はとても嬉しかったのだ。

お客さんは時に売り手にもなる

しばらくすると、「安慶田（あげだ）」という地域にさしかかった。私が思わず「え？　このへん？」と声をあげると、「似てますけれど安慶田ではなく安慶名（あげな）です」と、喜納さんから返ってきた。私が沖縄を語るには、やっぱりまだまだ時間が必要なようだ。しかし安慶田から安慶名は、そう遠くない場所にあった。そして教学館は面白いどころか、由緒正しい「町の本屋さん」の風情をたたえていた。店内の割合は文具3、雑誌3、書籍2、コミック2といったところか。近くにあげな小学校があるのでノートがよく売れるのだと、レジを預かる當銘栄子（とうめえいこ）さんが言った。栄子さんの3人の娘のうち1人が、外回りを担当しているという。以前は義理の弟も店を手伝っていたが、今は女2人で切り盛りしていて、手描きのポップは娘さんによるものだ。とはいえ、毎日9時から20時まで営業しているが「18時以降はとうちゃん（當銘さんの夫）がいる」そうだ。

教学館がオープンしたのは復帰前の1966年で、2020年で創業54年を迎えた。これまでに3度移転していて、現在の場所には10年前、前の店が区画整理の対象になったことで引っ越して来たと、當銘さんは語った。そう昔の話ではないが、店の

安慶名の数学館

前に掲げられている「いんかん」の看板はやたら年季が入っている。しかし「印鑑」を平仮名にしただけで、なぜこうも妙な気持ちにさせられるのだろうか。それは私が考え過ぎな性分だからか。

「いんかん」から離れようと店の外壁に目をやると、地元のこんぶ会社の求人広告が貼ってあるのが見えた。しかも「急募」とあり、果たして人は集まったのかと當銘さんにたずねると、「集まったけれどまだはがしに来てくれない」と笑った。

「鬼滅（鬼滅の刃）のオーダーすごくてビックリしたんですよ。でもうちは小さいから続きの巻がなかなか入らなくて。あ、ボーダーインク、この前NHKのサラメシ出てた？」

「出てない（笑）」

喜納さんと當銘さんの、のどかな会話が続く。その間もお客さんがやってきては、目当ての本をレジに持ってきては當銘さんに声をかけていく。お客さんの多くが地元の常連さんで、以前喜納さんが「うるま市の人は、地元で済む用事は地元で済ませているように見える」と言っていた通りだった。

「お客さんが置いて欲しいって言って、置いていくんですよ」

レジ前には手作りの、布マスクが並んでいる。そして店の奥には『眼脈』という、無料のリトルプレスもあった。奥付を見るとうるま市の市議や国立病院労働組合書記などを歴任した方が、どうやら1人で作っているようだ。お客さんは本を買いに来て読むだけではなく、時に売ったり書いて発行する側に変身することもある。それが叶うのはきっとここが、「町の本屋さん」だからなのだろう。

當銘栄子さん

いんかん……

見出しと中身が違っても無問題

當銘さんに別れを告げて、次は与勝という地域にある大庭書店に向かった。安慶名から与勝までは9キロ近くある。

「うるま市って広いんですね」

なんでもうるま市は2005年に具志川市と石川市、勝連町と与那城町が合併してできた市で、面積は約87㎢ある。山間部が多い名護市には及ばないが、那覇市の倍以上の広さだ(だからなのか、場所によってなんとなく空気の感じが違う気がする)。

白いコンクリート造りの住宅群を車窓越しに眺めていると、「ああ！　閉まってる！」という声が車内からあがった。

赤い円の中に白字で「本」と書かれ、さらに本の一画目に黒字で「大庭書店」とある看板がインパクト満点の大庭書店は、かたくシャッターが閉じられていた。

店の中に誰かいてくれたらと、看板に書かれていた電話番号に複数回ダイヤルしてみるも繋がらない。仕方なく店を後にすることにした。

「ワイトゥイ」という名の、岩山をくりぬいて作られた絶壁の道を眺めながら、世界遺産に登録された勝連城跡の前にある「うるまーる」(うるま市特産品の店)に立ち寄ったのち、車は来た道を戻った。

宜壽次さんがうるまーるで買ったにんじんサイダーや沖縄全土にある「上間てんぷら店」など、本屋以外のことを話しているうちに、教学館から程近い場所にある幸文

大庭書店の看板

キティの許可なくして入れない？

堂（どう）に到着。入口前に鎮座するキジトラ猫に許可を得て店に入ると、かりゆしウェアの幸喜源（こうきはじめ）さんが、柔らかな笑顔で迎えてくれた。

ギターが趣味で、沖縄市内のライブハウスで月イチ演奏しているという幸喜さんによると、猫はオスで名前は「キティ」ちゃん。店自体は1970年頃にオープンしたが、現在地には「32年ぐらい前」に移転したそうだ。いまは文具7、本が3という割合に見えるが、もともとの品ぞろえは本がメイン。2代目の幸喜さんは、以前あった吉田書店という本屋で1週間、さらに日販で2週間学んで「25歳ぐらいから店に立つようになり、10年ぐらい前に代表取締役になりました」と語った。

店の一角にはマッサージ、2階にはフィットネスクラブのテナントが入っている。マッサージは甥が手掛けていて、2階はかつて幸喜さんが経営するカラオケだったけれど、「手が回らなくて辞めました」とはにかんだ。本当に音楽が好きなんだな、と思ったけれど、幸喜さんはマンガも好きで最近読んだ中で印象に残っているのは『キングダム』だと教えてくれた。

店主の嗜好だけではなく、こちらも近くに学校があるせいか本の約6割がマンガで、文庫や参考書は壁際の書棚に並んでいる。ふと見ると文庫のところに「自動車免許」、辞書が置いてあるところに「高血圧心臓病」と書かれているなど、見出しと内容が一致しない的な陳列になっている。でもこれはこれで味があるし、地元の人ならどこに何があるか分かるから、とくに問題はないのだろう。でも見ていると笑いがこみ上げてしまう。面白さの原因を発見した気がしながら幸喜さんを探すと、印鑑の注

ポップな外観の幸文堂

幸喜源さん

文に来たお客さんと話し込んでいた。先ほどまでの柔和な表情から一転、キリッとしたビジネスマンに変わっていた。

文具が豊富なので、幸喜さんにおススメのペンを尋ねると、三菱鉛筆のユニボールワンという答えが返ってきた。ゲルボールタイプで値段は120円。1本購入したものの、正直「書きやすければいいな」程度の気持ちだった。しかし本当に書きやすくて、現在も取材で大活躍している。

子どもたちを見守る、88歳の「元本屋」

「次は厳密には本屋ではないんですけど」

教学館と幸文堂の両方から歩いて行けるほどの近さの小道に、鮮魚店を彷彿するひさしがかかった商店が見えてきた。「宮城文具店　文具　印鑑　月刊誌　週刊誌」と書いてある。ここの印鑑は漢字なのか。少しだけシャッターが閉じかかったウィンドウから中をのぞくと、コアラやウサギのぬいぐるみや駄菓子がひしめき合っていた。

「こんにちは」

エプロン姿の店主・宮城壽美さんは、1933年生まれで小学5年生で終戦を迎えた。叔父さんたちが戦争で亡くなってしまったが、写真もないのが心残りだと会ってすぐに語り始めた。

あげな幼稚園、あげな小学校、あげな中学校の通学路にあることから、宮城さんは子どもの登下校に合わせて、朝7時半から夜

宮城文具店

6時半まで店を開けて毎日子どもたちに挨拶している。

「おとうさん（壽美さんの夫）がやってたんだけど交通事故に遭って骨折してしまって。駄菓子を何カ月も前から頼んでるのに全然入荷しないし」

87歳のおとうさんが現在治療中であること、コロナ禍で物流が滞っていたことで宮城さんもなかなか大変そうだ。店の中には所狭しと、駄菓子やおもちゃが置かれている。かなりレトロめなファンシーキャラクターやアニメ版「あさりちゃん」のトランプなど、私が子どもの頃に萌えたグッズも雑然と並んでいて、かつての自分に戻った気持ちになってしまう。ヘビーリピーターの喜納さんこそ宮城さんと話し込んでいるものの、宜壽次さんも陽一さん&由子さんも、皆それぞれ自分の「気になりグッズ」に目が釘付けになっている（どのグッズにロックオンするかで、年代が分かってしまうかもな……）。

さらに奥に進んでいくと、家族と思しき写真や賞状、子どもたちを見守ってきたおとうさんへの感謝を込めた手作りポスターなどが飾ってあった。そして「週刊誌月刊誌」とひさしに書いてあるように、以前は本も置かれていたのだろう。しかし今は、かつては売り物だったのか家族の誰かが便宜的に置いているのかもわからない、絵本や椎名誠や眉村卓の文庫などがほんの少しあるだけだ。

時間は流れているのだけれど、その流れる時間の中で出会ったもののすべてが詰まっている。前著『離島の本屋』の表紙を飾った、弓削島のはなぶさ書房で感じた思いに近いものが、胸にこみ上げていた。でもあの時は少ししんみりしたけれど、今日は年齢を感じさせないほどパワフルに話す宮城さんとファンシーグッズのおかげで、

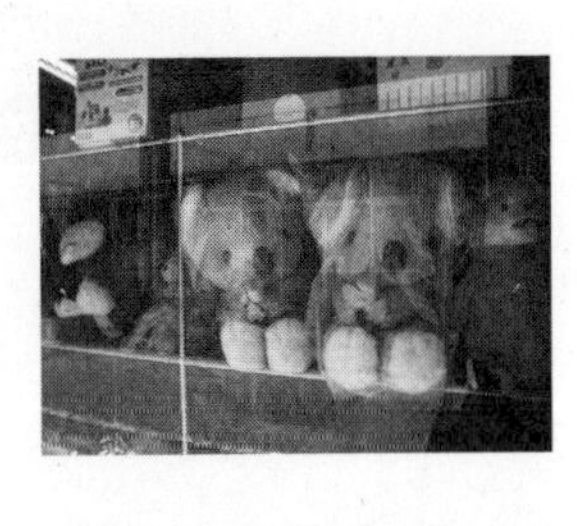
行き交う人を見つめるコアラ（のぬいぐるみ）

宮城壽美さん

いつまでもあると思うな本屋とファンシーグッズ。立ち寄れて本当に良かった。

「おとといたくさん来て買っていった、東京の人がいたね」

明るい気持ちだった。

新品か古本かには、やっぱりこだわっていない

締めくくりにと向かった大城(おおしろ)書店石川店は、沖縄自動車道の石川インターチェンジ近くの、飲食店や商店が並ぶ一角に建っていた。向かいにはスーパーもあり、買い物がてらに本をチェックする人が多そうだ。

「ここの店長さん、まだ若い方なんですよ」と、喜納さんに耳打ちされながら店に入ると、かなりボリュームを割いている文具コーナーと駄菓子コーナーが視界に飛び込んできた。とはいえ本が少ないわけではなく、コミックから小説や文庫、沖縄関連本などが網羅されている。ところどころに置かれたベンチでは、学校帰りと思しき児童が一心不乱に本を読んでいた。

肝心の店長さんはどこにいるのだろう？　と思ったがなんとこの日はお休み。話を聞くのは諦めて店内の写真を撮らせてもらっていると、宜壽次さんも由子さん&陽一さんも、そして喜納さんも駄菓子選びに燃えていた。

「これは、うちに遊びに来る子どもの友達用に」

と言って喜納さんが箱買いしている「ポテトスナック」を眺めているうちに、無性

ロードサイド系の大城書店

に欲しくなってしまい、私もついポテトスナックやパンダクッキーに手が伸びてしまった。ああ、東京でも買えるのに……。

そう思いながら店を後にし、私たちは那覇に戻った。元来た道を辿りながら筒井さん夫妻と別れ、リブロで開催中だった古書フェスをチェックするために、シメとして宜壽次さんと3人でリブロリウボウブックセンターに立ち寄った。このフェスは年に1度開催されていて、古書店や個人書店が、新刊書店のリブロ店内に即売コーナーを設けるという、画期的な催しだ。

リブロに到着すると、何人ものお客さんが熱心に書棚を眺めていた。以前訪れた西原町のブッキッシュ〈☞64ページ〉の多田明日香さんと、八重瀬町のくじらブックス〈☞69ページ〉の渡慶次美帆さんが「沖縄の人は、新刊か古本かにはさほどこだわっていない」と言ったとおりだ。そしてこの場に来たことで、建築やアート系に強い言事堂〈☞86ページ〉が移転準備のため現在クローズしていて、「水木しげるに強い」古書店のちはや書房〈☞81ページ〉も、移転することが改めてわかった。

「すいません、最後の最後にちはや書房にちょっと寄りたいんですけど」

シメのおかわりをしてしまい、3人でちはや書房に向かうと、以前と違わぬ印象の櫻井伸浩さんがレジ前に座っていた。新しい店は県庁近くの泉崎という場所で、今は時間を見つけては荷物運びをしている最中だけど、店の広さが18坪から14坪になるので少しずつ処分しつつ運んでいる、と語った。

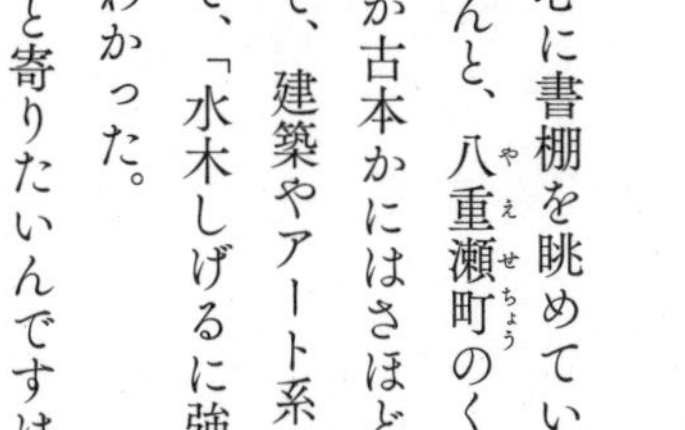

一心不乱の座り読み発見!!

書店員に筋肉は……多分必要！

翌日。那覇空港から名護行きのバスに1人で乗り、石川インターチェンジに向かった。インターから大城書店までは約800メートルしかなく、十分歩いて行ける距離にある。店に着くと、店長の吉山盛綱(よしやまもりつな)さんの姿があった。

入社10年目の吉山さんは、1987年生まれ。恩納村出身だが村には書店がなく、学生時代は沖縄・読谷(よみたん)にあった大城書店に通っていたという。読谷には複数の店舗があったものの、2020年に統合されて教科書や文具が中心の店となり、本を置くのは石川店のみだ。

「もともと本が好きで。中学時代はハリポタ全盛期で、そのあとは山田悠介を読み漁っていました」

最近のベストはブレイディみかこの『ぼくはイエローでホワイトで、ちょっとブルー』(新潮社)と言う吉山さんだが、読書と並ぶ趣味は筋トレ。休みの日はマックスで20キロ、日頃はだいたい5キロぐらいのランニングをこなす元野球少年だ。

「沖縄は野球が盛んなので、中学・高校と野球部だったんです。今はイヤホンで音楽を聴くために走ってるようなものですが、本屋さんには筋肉は必要ないですよね(笑)」

しかしこの日はレイアウトを大幅に変更する予定で、陳列されているサングラスやおもちゃを並べ替えるために、一度すべて撤収することになっている。すごい勢いでカゴに雑貨を入れ、可動式の棚を動かす吉山さんを見ていて「いや、本屋さんには体力も筋肉も必要でしょう」と感じてしまった。とはいえ吉山さんを含めて総勢10

書店員には筋肉が必要だと感じた瞬間

大城書店の吉山盛綱さん

名のスタッフは、決して全員が猛者というワケではない。正面ウィンドウに飾られている月替わりイラストを手掛けるスタッフや店頭ポップをまめに書いているスタッフなど、それぞれ皆違う役割を果たしている。

「朝10時から夜10時まで営業しているのですが、意外と夜に来るお客さんが多いのと細かくたくさんやることがあるんです。10名いても手が足りないので、あと2、3人は欲しいんです」

近くに小学校が2つあるので、放課後は駄菓子を目当てにやってくる子どもたちが多い。そういえば昨日も今日も、子どもたちの姿が目立つ。4月から5月にかけての緊急事態宣言期間は短縮営業をしていたが、子ども向けドリルがよく売れたそうだ。

「大人たちも本を買いに来てくれたので、物事は1つの視点だけでは語れないことに気づいて。だから今回の外出自粛は、自分にとって勉強になりました」

離島の本屋は、一期一会ではない

大城書店を出て、来た道を戻るさなか大庭書店に再度電話するも、やっぱり繋がらなかった。

ガラケーの通話ボタンを切ってから画面を見ると、喜納さんからメッセージが届いていた。

「きのうお伝えしそびれたのですが、那覇の浮島通りに、建築関係本が中心のセレクト書店ができています。ブンコノブンコという名前です。もしお時間あるようでしたら行ってみてくださいませ」

ちはや書房の櫻井さん

浮島通りはバス停からホテルに戻る帰り道にある。よし、行ってみよう。再度高速バスに乗り込んで那覇市内に戻り、開南（かいなん）というバス停から5分ほど歩いた。すると白い壁と打ちっぱなしのコンクリートの建物の前に「ブンコノブンコ　新書　古書（言事堂）リトルプレス　ZINE　沖縄不動産文庫」と書かれた看板が置かれていた。1歩中に入ってみる。確かに新刊本と古書、リトルプレスがキュッと詰まっている。デザインやアート、建築関係が多そうだ。

すいません、と声をかけると、隣の棟から中澤絵美里（なかざわえみり）さんがやってきた。2020年1月から働き始めたという中澤さんによると、店がオープンしたのは2019年9月。古本はちょうどこの時リニューアル中だった言事堂の在庫の中から建築系をセレクトし、委託販売しているそうだ。

今日は店長が不在だと言うので、写真だけ撮って帰ろうと思った。するとその間にも何人かお客さんが入ってきて、皆真剣にチェックしていた。つられて私も真剣に棚を眺めてみると、気になるリトルプレスが見つかってしまった。それは沖縄独特の小売りシステムである共同売店をテーマにしたもので、沖縄に来なければおそらく、出会うことはなかったのではないかと思うものだった。

店の外に出ると、夕方に差し掛かった時間なのにキラキラした日差しが降り注いでいた。東京は連日雨模様だったのに、すでに沖縄は梅雨明けを迎えていた。

浮島通りから市場中央通りと国際通りを過ぎた先にあるホテルまでの道は、足が

ブンコノブンコの外観

記憶していた。

今も旅人のよそ者なのは変わらないけれど、いた時間と歩いた距離、出会った人との会話とそれぞれの本屋の景色はしっかり刻まれていることに気づき、１人で笑いがこみ上げてきた。でもそれはきっと、沖縄に限ったことではないとも思った。

また訪ねられますように、また会えますように。私も元気でいます。だから元気でいてください。２０２０年より前だったら、こんな言葉は単なるあいさつでしかなかった。しかし今や、とても切実な思いが込められたものになった。これまで出会った人と本屋もこれから出会う人と本屋も、もとの形から変わったとしても一期一会ではないことを。今はただそれを祈るばかりだ。自分にも、相手にも。

教学館　沖縄県うるま市字安慶名1－8－55
幸文堂　沖縄県うるま市みどり町4－20－10
宮城文具店　沖縄県うるま市安慶名3－5－11
大城書店 石川店　沖縄県うるま市石川1－15－2
ブンコノブンコ　沖縄県那覇市松尾2－11－26

ブンコノブンコの看板

一度は消えた本屋の明かりを、また灯すことができた島

喜界島（鹿児島県）

●喜界島

本屋がなかったり、取材をお断りされてしまったりと、行くことがかなわない島がある。取材直前に本屋が閉店した島もあった。喜界島がまさにそうで、2012年末に島の本屋『銀座書店』に連絡したところ、「もう閉めます」と言われ、自分の行動の遅さを後悔したものだった。しかし2014年末に喜界島観光物産協会のホームページを見ていたら、営業しているとの情報が。まさかの復活……？　震える指で電話をしてみると、や、やっていた！

島に一軒しかない書店を守らなくてはと、奄美大島で印刷会社を経営する前平彰信さんが2013年2月に経営を引き継ぎ、4月に『ブックス銀座』として再出発したと聞いた。ということで今回は、月に3度ほど奄美から出張する前平さんのタイミングに合わせて喜界島を目指すことに。

奄美大島で前平さんと落ち合い、一緒に車で空港に向かう。奄美大島の瀬戸内町出身の前平さんは1950年生まれ。近畿大学に通っていた1974年頃、喜界島と同じ奄美群島の無人島・枝手久島に石油備蓄基地建設案が持ち上がった際には、大阪から反対運動に「連帯」していたほどのアツい魂を持っていたことを、車内でう

36人乗りのサーブ340

かがい知る。その時の出会いがきっかけで写植を学び、仲間と写植会社を立ち上げたことで、印刷業に携わることになったと教えてくれた。

アツい魂は今も健在なのか、閉店準備中だった銀座書店を訪ねたところ、店頭から本がなくなっていたことにショックを受け、再び灯りをともすことを決意したそうだ。

「小中学校が統廃合して、全12校から3校に減ったことで図書の受注が激減したのが、閉店の大きな理由です。古い付き合いなので引き受けたいと言ったら、『儲けにならん！』と家族にも税理士にも反対されました（苦笑）。でも自分も本が好きだし、本屋がないと島の人が困ると思って」

そんな話をしながら、36人乗りのサーブ機のタラップをあがる。離陸から着陸まで20分の奄美－喜界線は、わっと飛んだらさっと着いてしまった。

空港から車で約5分。島のメインストリートにあるブックス銀座は、「本」と書かれた看板が目印。中に入ると店長の太利重芳さんと、パートの東純子さんが迎えてくれた。同店は東急電鉄の運転士をしていた太利さんの父が、島にUターンして1955年にオープン。先代が東京・銀座の街を愛していたこ

銀座書店が移転して
ブックス銀座に

とが、店名の由来だが、皆に親しまれたその名を残そうと「ブックス銀座」に生まれ変わった。

「閉めたら農業をやろうと思っていたのですが、前平さんが『もう一度必死で本屋をやろう』と言ってくれたので、知恵と力を借りることにしたんです」

それまでは雑然としていた店の清掃と整頓に力を入れ、配達もすることに。店頭になくても手に入るようにと、ネットで注文して店で受け取れる、取次のトーハンが運営する通販サイトの「e-hon」にも加盟し、販路拡大を目指している。また文具販売やOA機器のメンテナンスなど、島の人にとっては嬉しいサービスも始めた。

店内には純子さんともうひとりのパート・尾崎ひろみさんが描いたポップが貼られている。純子さんは「恥ずかしい」とはにかむけれど、楽しい気分で見入ってしまう。そうしていると、中学生が何人も店にやってきた。

レジに並ぶ女子ふたりに、「何を買うの?」と声をかける。中学2年生の叶さんは『マギ』と『東京喰種（トーキョーグール）』を、友人の浜やんさんはマンガに加えて、東野圭吾の『パラドックス13』ほか4冊をまとめ買いしていた。

「お店がなくなった時はショックで死ぬかと思った。復活して品揃えもよくなって嬉しい!」

左から
前平彰信さん、
太利重芳さん、
東純子さん

元気に語る叶さんは、自宅の飲食店を手伝ったお小遣いで、多いときは月に30冊も本やマンガを買っている。浜やんさんと交換しながら読んでいるそうだ。彼女達は小さいながらも、店の大きなお得意さま。本屋は大人だけのものではないと、自転車で帰るふたりを眺めながら強く思った。

取材後は前平さんに、貝塚や縦穴式住居跡、ひと目でそれと分かる程にコンディション良く保存されていた人骨を掘り出し中の、島南部にある川尻遺跡や、ガジュマルの巨木を案内していただく。ボタンボウフウという薬草の加工工場で出会った高木松男(たかぎまつお)さんの趣味はドラム。子どもの頃から通っていたブックス銀座でロックに触れ、

コミックから
ハードカバーまで
見やすく並んでいる

長年に渡る
お得意さま

今でも『リズム&ドラムマガジン』を定期購読していると笑顔を見せた。

ほのかだと思っていた喜界島の本屋の灯りは、本当は強く確かな光だったのだ。

「また来られるかな……」

大丈夫。「本」の看板がメインストリートにある限り、再訪の機会は巡ってくるはず。

私は自分に向かってつぶやいた。

ブックス銀座　鹿児島県大島郡喜界町赤連2650－1

手久津久(てくづく)地区の、巨大ガジュマルは島の名所のひとつ

喜界島薬草農園工場長の高木さん。同農園の青汁は食品コンテストに入賞するなど、レベルが高い

取材から6年後、その後を尋ねた。

「店はなんとか続けてます。今も月に2回ぐらいは喜界島に行っていて、昨日帰ってきました。連載が単行本になるんですか？　うちにも置きますよ！」

前平さんからそう言われ、嬉しくなったので太利さんにも電話すると、今はパートさんが6人に増えて「鋭意努力中」だと教えてくれた。東さんはパートを辞めたが、たまにヘルプで来るとのこと。

働く人が増えたというのは、それだけ仕事が多いということ。仕事が多いというのは、それだけ繁盛しているということ。喜界島で感じた灯りは、やっぱり強く確かなものだったようだ。灯りを確かめにまた行こう。次は喜界島焼酎を飲もう。コロナ明けを楽しみに、今は待つことにした。

教科書からちゃんぽんの素まで150年以上続く理由はココに⁉

宇久島（長崎県）

その日は気付くと同じ番号から、3度の着信があった。

長崎県五島（ごとう）列島の北端にある宇久島（うく）に行くには、福岡か佐世保から船を使わないとならない。今回は羽田から福岡空港に向かい、そこから高速バスで佐世保へ。次に佐世保港から高速船と移動に次ぐ移動のため、電話を取るタイミングがなかった。3度目の着信があったのは、佐世保市内にいたときのこと。これから訪ねる戸田屋書店の店主・戸田政文（まさふみ）さんからだった。

「高速船で来るんでしょ？　2枚切符を買うと割引料金だから」

初めて島を目指す私達（この時はカメラマンが同行）に、お得情報を告げる電話だったとは！　にわかにワクワクしてきた。だが甘かった。その日の海はしけ。高速船は激しく右に左に揺れながら、それでもスピードを落とさない。船酔いこそしないものの、立つ時は何かにつかまっていないと、体が吹き飛ばされる始末。絶叫マシーン級の揺れを1時間味わってたどり着いた船着き場は、けぶるような白さに包まれていた。

「これは曇ってるんじゃなくて、PM2・5の影響。ここ10年ぐらいずっとこんな

宇久島●

激しく波立つ東シナ海

感じなんだよね」

迎えに来てくれた政文さんが、開口一番そう言った。

戸田屋の創業は150年以上前の嘉永元年で、スタートは酒店だった。明治44年の1911年に門司に出光商会（現在の出光興産）ができた後に、石油販売業も営むようになった。書店も始めたのは、先代の戸田徳重さんが店主だった1972年のこと。昭和の頃までは書籍も扱っていたけれど、現在は雑誌とコミック、教科書販売のみで、書籍は注文があれば仕入れている。空いた棚には食品や雑貨、酒類を並べる「ホンがあるコンビニ、まさにホンビニ」的店構えになっているそうだ。

ということで店内に入ると、アンティーク調の月桂冠ポスターがドーン。向かって右側の棚には雑誌とコミックがあるけれど、その奥にはキッチンペーパーや白だし、地元で人気の麦焼酎「くろうま」などが置かれていた。レジ前にはインゲンや枝豆、ほうせんかなどの種のラックもある。ちなみによく売れるのは「ワァン」という、福岡のメーカーが作った長崎ちゃんぽんスープの素。麺は別に用意しないとならないけど、これがあれば本格派ちゃんぽんが味わえるという。いずれも料理が得意な年上女房の、雅子さんがセレクトして仕入れているのだそうだ。

「オレは嫌いなものがふたつある。ひとつは年下、ひとつは写真だ」

暮れなずむ島に明かりをともす戸田屋書店

福岡製長崎ちゃんぽんスープの素

まさに〝ホンビニ〟だった

「なかよし」と「ちゃお」とエプロンとカーディガンをお買い上げ

「本店」にある出光アポロンのモザイク画と空襲による穴

ガーン！　こちらは年下だし、写真撮影もしたいんですけど……。

と言いつつも宿の手配から送迎、そして島の観光スポットや図書館などへ早口の解説とともに案内して下さる政文さん。もしかしてツンデレ？　その証拠に「いつ閉めるかわからん」と言いつつも「書店を続けるのは、社会的責任があるから」とも語った。矜持を持って本屋を続ける姿勢がひしひしと感じられた。

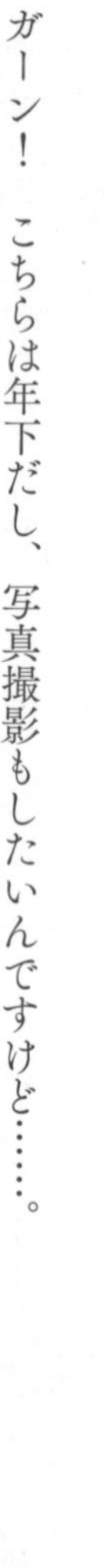

翌日また店に立ち寄ると、中学生の娘がいる女性が、「なかよし」と「ちゃお」を買いに来ていた。でもお会計は8000円超！　そのワケは一緒に、エプロンとニットカーディガンも買っていたから。食品や文房具類だけではなく、コスメや衣料品も置いてあり、島の女性達にはなかなかの人気。「書店で服を売ってもいいじゃない。だって欲しいんだもの」。そんな欲望も、戸田書店を支えている。

お昼の時間が近づいて来た頃、先代の徳重さんが店にやってきた。すぐ近所の徳重さんの家が「本店」で、政文さん夫婦が住む書店は「支店」。かつて1階で酒を売っていた本店は空襲の跡と、2013年末に先立った妻の咲枝(さきえ)さんの面影が残っている。徳重さんは書店を手伝いながら絵をたしなむ86歳。戸田屋を多角経営へと導いた立役者だ。

「カレー食べてかない?」

野菜がしっかりすり下ろされたビーフカレーは、コクと深みに満ちた温かい味。政文さんも徳重さんも野菜嫌いのため、雅子さんが知恵を絞って作ったという愛の証を、店のレジ前でぺろり。そしてお別れ前に写真が嫌いな政文さんも交えた3人のスナップをパチリ。フェリーターミナルのアイドル犬・小太郎と遊んでいると、佐世保に戻る時間がやってきた。行きとはうって変わった、凪(なぎ)の海だった。

戸田屋書店　長崎県佐世保市宇久町平3095-4

左から戸田政文さん、徳重さん、雅子さん

五島列島の「ホンビニ」から本が消えた日

2017年8月、打ち合わせのために編集者とカフェに入ろうとしたさなかに着信があった。2014年に取材した宇久島の戸田屋書店店主、戸田政文さんからだった。

「朴さんさー、あのねー、9月いっぱいで本を置くのを辞めることにしたんだよ。それでさー、朴さんに連絡しておこうと思って」

戸田屋書店は、150年以上の歴史がある店だ。スタートは酒店だったが、長い長い物語の末に「本があるコンビニだから『ホンビニ』」と称していたのは先述のとおり。しかし、少ないながらも存在していた本が、なくなってしまうとは……。

2018年4月、宇久島を再訪することにした。前回は佐世保港から、高速船で向かった。大しけで席を立つと容赦なく左右に振られる船内が、否が応でも旅気分を盛り上げてくれた。しかしこの日は福岡港から、「太古（たいこ）」というフェリーに乗ることにした。出航時間は午後11時45分。宇久島には早朝4時前に到着する。当然戸田屋書店は開いていない。

そこで隣の小値賀（おぢか）島に立ち寄ってから、午後発の折り返しフェリーで戻ることにした。半日もあれば自転車で島巡りができると、政文さんから聞いたからだ。

戸田徳重さん

1916年創業
野母商船の
フェリー太古

小値賀島への到着時間も午前4時40分。フェリーターミナル内の仮眠室でひと眠りしてから、坂道でもラクにこげるゆえ全く休むスキをくれない電動自転車で島を回った。

そして午後1時55分。定刻通りに宇久島の宇久平(うくたいら)港にフェリーが滑り込むと、政文さんが出迎えてくれているのが目に入った。政文さんが運転する軽ワゴン車で戸田屋書店へ向かうと、看板は「戸田屋書店」のままなのに、かつて雑誌が置かれていたスペースにも食品が並べられていた。宇久島の教科書は現在、小値賀島の文具店が扱っているそうだ。

領収書の都合で、看板を変えられない

「領収書を『戸田屋書店』で発行してるから、看板変えられないんだよね」

還暦を迎えた政文さんが言った。1928年生まれで、以前手描きの絵を披露してくれた父の徳重さんは、福岡県内で親族が介護しているそうだ。

「本店」は書店から歩いてすぐの、徳重さんが住んでいた建物だった。家主のいなくなった家には以前と変わらず、宇久島空襲で受けた弾痕があり、出光アポロのモザイク画が掲げられていた。

そして笑顔で迎えてくれた政文さんの妻・雅子さんによる、皿うどんをはじめとする手料理の数々は、今回もとてもおいしかった。

雅子さんと他愛のない話をしながら棚を見渡すと、都内の高級スーパーにも

小値賀島で注意を促すカッパ

〝ホンビニ〟から本が消えていた

置かれている食材がいくつも並んでいた。食べられれば、売れればなんでもいいわけではなく、こだわりを持って品揃えしているのがわかる。私がこの島の住民だったら、いつでもリンツのリンドールが買える店が近くにあるのは嬉しい。でも「書店」でなくなったことを、どう思っているのだろうか。

「そりゃ泣く泣く閉めたよ。島にはなんの娯楽もないし、雑誌を買いに定期的に来てた人は、来なくなったからね。本はやっぱり、本なんだよね。だからとても寂しい」

政文さんはそう吐露した。

60年前から人口が約1万人減少

1年後の2019年4月、再び「太古」で島を訪ねた。戸田屋書店の看板も店の前にあるベンチも、以前のままだ。1年ぐらいではとくに何も変わらないのかもしれない。

引き戸を開くと、政文さんが歓迎してくれた。これも以前と変わらない。しかし今日は徳重さんの百日忌なので、雅子さんは今、準備に追われていると教えてくれた。ああ、変わらないものなどなかったのだ……。

徳重さんのお墓参りをともにさせてもらった足で「本店」に立ち寄った。随分片づけたと言いながら政文さんは「5SEN」「10SEN」などと書かれた古

政文さん&雅子さんで、ダブルマサのおふたり

いレジスターや、棚にうやうやしく置かれていた手榴弾消火器など、お宝を次々と披露してくれた。

二階建ての本店は昨年訪ねた時もがらんとしていたが、人の気配がなくなると、まるで、家そのものの呼吸も止まってしまったようだ。

60年前は1万1000人以上が住んでいたこの島の人口は、2019年には2000人を割り込んでいる。九電工や京セラなどによるメガソーラーの建設計画があり、これがスタートすれば島外から大量の関係者が集まると言われている。

しかし事業計画から5年を経て、2020年現在でも着工されていない。どかんと人口が増える事業は、まだ先が見えない状況だ。

「朴さん福岡出張ついでに来たの？　博多で泊まるなら○○ホテルがいいわよ」

法事の仕出し弁当の昼食に呼ばれた私に、雅子さんが言った。微妙に暗い顔をしていたからかもしれない私に、島のことでも店のことでもない話題を振ってくれたのだ。

取材という名目で誰かと会うと、聞きたいことばかりを聞いて終わりにしてしまうことがある。時間が限られているからそれはやむを得ないし、なにも私

「5SEN」の表示がナウいレジスター

に限った話ではない。しかしこうして取材を離れて行くことができた時には、別の話をしても良いのではないか。なんとなくそんなことを思ってしまうほど、戸田夫妻とのおしゃべりは面白かったのだ。

次はいつ行けるかまだわからない。しかし会えば楽しく話せる相手がいる場所が、1000キロ以上離れたところにある。それはとても幸せなことではないだろうか。だからまた訪ねることができる日のために、2人が楽しんでくれそうな他愛のない話題を、色々仕入れておこうと思う。

手榴弾だけど消火器。
使い方はナゾ

種子島（鹿児島県）

106年目を迎えた書店が、今考える未来の選択とは？

リゾートに行ったことはあるけれど、街なかを散策したことがない島がいくつもある。そのひとつが、種子島（たねがしま）だった。2005年、まだ定期運航していたYS－11に乗りたくて当時の友人と行ったものの、その時は海以外見ていなかったのだ。

YS－11なき今、ロケットという名の高速船で種子島を訪れることにした。ターミナルから5分も歩くと、目当ての和田書店に到着。4代目となる和田豊さんと、看板犬のレオくんがお出迎えしてくれた。

和田書店は1914（大正3）年、鹿児島市にあった吉田書店の種子島出張所としてできた。

「その後はハッキリしないんですけど、色々他の商売もやったのちに書店がメインになったそうです」

先々々代（！）が開いた店を継いだのは、今から40年前のこと。3人きょうだいの長兄が技術系ビジネスマンだ

和田書店は1914年創業

● 種子島

ったことから、次男の豊さんに白羽の矢が立った。埼玉県の須原屋で研修したのち、24歳で島に戻った（しかし「須原屋で修行しました」という方の多いこと。一度表敬訪問せねば）。帰島した頃は大型店がなく、西之表店がある界隈は非常ににぎわっていた。とはいえ縦に長い種子島は、南北約60キロもある。そこで1986年、島中部の中種子地区にも出店した。

「そのあたりにまだ本屋がなかったのと、家内が中種子出身だったからです」

薬剤師をしていた恵子さんとはお見合いで知り合い、「私がアタックされた」と豊さんは笑うが、今もラブラブに見える。

そんなふたりと話していると、もう1匹の看板犬のリンちゃんもやってきた。

「犬きらい！」

クイズ番組本の『東大ナゾトレ』を母親にねだっていた、小学校1年生のマサキくんが叫んだ。双子のきょうだいヒロトくんは平気な顔をしている。「今日は墨汁を買いに来たから」とお母さんは言うが、子どもが本をねだる様子を見るとこちらも嬉しくなる。

そしてその頃、店奥の参考書が並ぶスペースでは、小学校2年生の旺ノ丞くんがおじいちゃんと九九のドリルを選んでいた。旺ノ丞くんは千葉に住んでいて、冬休みだからおじいちゃんに会いに来ていたのだ。

子どもたちの色々な表情が見られる和田書店は、文具の扱いもあるものの書籍が主だ。

恵子さん（右）にアタックされたと照れながら語る豊さん（左）

そしてかつては、印刷や出版も手掛けていた。『鉄砲伝来考』『種子島の史跡』『種子島物語』といった、読めば1000パーセント種子島に詳しくなれそうな郷土本を出版しているのは、さすが地元ならではだ。

しかし和田さんは「まだ漠然としか考えていないけれど、店を続けるのは70歳ぐらいまでかな」と言う。種子島は1960年には6万5500人近くいた人口が、現在では3万人弱と半数以下になってしまった。和田書店は小学校から高校まで、島内に約30ある学校の教材を取り扱っているものの、状況は厳しくなっている。消防法の関係で売り場面積を縮小する必要もあり、かつての「結納品」「アルバム」コーナーは今はガラガラだ。しかしそれだけではなく、和田さん夫婦の体調のことや、子どもたちの中から5代目擁立が難しいこともある。とはいえ、そう未来を悲観しているわけではない。

「先祖のお墓は島外にあるし、元々のルーツは種子島ではないから。これも時代の流れかなと思います」

以前は月2回しかなかったが、今は日曜日を定休日にしている。その間も伝票整理などやることはあるものの、ペースを落としたことで夫婦ともに、以前より元気になったという。

私はずっと、なくならないことだけが正解だと思っていた。しかし時代が変われば人の生活も変わり、利用するデバイスも変わってくる。そんな中で私ができるのは、本と本屋に関わったことを「楽しかったし幸せだった」と思えるように、そこにいる人たちを応援し続けていくことなのだろう。

それぞれの個性が際立つ双子のお客さん

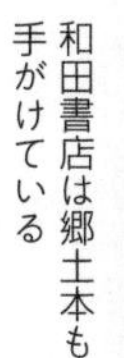

和田書店は郷土本も手がけている

本屋と本屋さんの人生にはさまざまな形があり、決して正解などない。最初は見たい、知りたいから始めた連載だったが、本に関わる生き方について考えさせられる取材であると、ここ数年つくづく感じている。

和田書店　鹿児島県西之表市東町14

店の奥には、かつて必要とされた商品の棚が残っている

２０２０年の残暑きびしい折りに、和田書店に電話をしたら恵子さんが出られて、「相変わらずやっています」と、嬉しい言葉を聞かせてくれた。リンちゃんの脚がちょっと弱ってきたけれど、「人間と同じ加齢によるものですよね」とも語った。人も犬もみんな、これからもお元気でいて欲しい。

種子島で、宇宙と本屋を思う

種子島（鹿児島県）

●種子島

和田書店を訪れた翌日は、同じ西之表市にある逆瀬川（さかせがわ）書店を訪ねようと思った。が、ここまで来たからには行っておきたいスポットがふたつある。そのひとつの種子島宇宙センターに向かった。

私は乗り物が好きだ。だから寿命が来るまでに乗る機会があるのかはわからないが、ロケットも当然好きなのだ。それに高速船の名前になっているほどの名物だし。

種子島宇宙センターは、島の南端にある。宿から宇宙センターまでは約50キロの距離だ。歩きやレンタルバイクで行ける近さではないし、私はペーパードライバーで、この土地に友人はいない。だが1日に6往復だけの島を横断するバスに乗れば、約1時間20分で行けることがわかった。朝9時過ぎに出るバスに乗り、一路宇宙センターへ。わぁ、皆さん私より後に乗ってきて、手前の停留所で降りるよ…。本数も少なく時間もかかるゆえに、路線バスの利用者は種子島に限らず減少するばかり。そうなるとさらに減便されるという負の無限ループに陥りがちだが、「ある」って本当にありがたい。離島の本屋取材においては、何度路線バスに助けられたことか。

JAXAの種子島宇宙センターにあるH-Ⅱロケットの実物模型

なんてことを考えているうちに、宇宙センターに到着した。

種子島宇宙センターでは無料で参加できる施設案内ツアーがある（要予約）。お子さま連れやインバウンドの皆さんに混じり、アラフィフが1人で参加する。この手のツアーの1人参加は慣れたものなので、解説を聞き漏らさぬよう最前列に並び、施設内を巡るバスにさっそうと乗り込む。

しかしなぜ、種子島にロケット発射基地ができたのだろう？ ツアーガイド氏によると地球は球体であるため、遠心力が大きい赤道付近は重力が少ないことから、ロケット発射には有利な場所となっているそうだ。しかし宇宙開発機関でＪＡＸＡの前身となるＮＡＳＤＡ（懐かしい！）が作られた１９６９年は、まだ沖縄が返還されていなかった。そんな事情もあり、当時の「国内最南端」に近い種子島に白羽の矢が立った、といった学びに耳を傾けながら、ロケット機体や発射場などを見学。ひたすら自撮りに励んでいるうちに、あっという間に戻るバスの時間が来てしまった。

推しアイドルの祖母の店へ

再びバスに揺られて1時間20分かけて、西之表地区に戻ってきた。なぜなら宿のすぐ近くにある、あやの食堂に寄ることも旅のミッションだったからだ。「モノノフ」には説明不要だが、そうでない人のために書くと、ももいろクローバーZのしおりんこと玉井詩織嬢（黄色）の祖母が営んでいる食堂なのだ。

何年かに一度、突然アイドルにハマる薄いドルオタ気質の私は、長年黄色推しをしている。以前は赤推しの友人と、ライブにも行ったものだ。最近はご無沙汰&ほ

見学コースにある、H-Ⅱの第一段機体の断面。デカい

かにも好きな推しグループができてしまったのだが、しおりんファンを辞めたわけではない。だから種子島にいるなら、寄らない理由はない。いやむしろ行くだろう聖地巡礼！

微妙にドキドキしながら引き戸を開くと店には2グループ、約10名ほどの先客がいた。1グループは宇宙センターで見かけたインバウンドの人たちで、あとは地元のマダム達のようだ。しかし「今日はもうあと1食作れるかどうか、というぐらいしか食材が残っていない」とのことだった。ショックを受けながらも「この辺に他に食事ができるところがあるか」と聞くと、それもないという。打ちひしがれていると、あまりに哀れに思ったのか「なんとか作るから」と声をかけてくれた。う、嬉しい！

ご厚意に甘えて座敷にあがり、待つこと約10分、待望のちゃんぽんがやってきた。野菜の滋味がスープにしっかりしみ込んでいて、五臓六腑に染み渡る。「しおりんの」という枕詞は必要ない、種子島に来たら食べるべきちゃんぽんだと実感した。

デザートのポンカンまでいただいてしまい、しおりん祖母様と厨房にいた女性にお礼を言い、店をあとにする。そして私はあやの食堂から歩いて行ける距離にある、逆瀬川書店に向かった。

おばあちゃんが座る、逆瀬川書店

島の店と人との繋がり

逆瀬川、という名字は種子島に多いのだろうか。思いきってカウンターにいらした、

〝しおりん〟祖母のちゃんぽんは600円

逆瀬川裕之（ひろゆき）さんに声をかけてみた。すると「このへんではうちと親戚のみです」と語った。いわく逆瀬川家は曾祖父の代に、鹿児島・枕崎からやってきたのだそうだ。

逆瀬川書店は1972年創業で、現在は2代目の裕之さんとその妻、両親とおばの5人で店を切り盛りしているそうだ。品揃えは本と文具が半々ぐらいの割合で、マンガが多く揃っているのが特徴だ。そして初代の父上は、和田書店で修行をしたのち独立したと教えてくれた。

本屋がまったくないか、あっても1軒だけという島もあるけれど、何軒かある島もある。そういう場合はたまにだが、他の店の話を振ってみたりすることもある。お互い違うジャンルに力を入れて住民の棲み分けを図ったり、全く交流はなかったりと、それぞれに違う関わり方をしてきていた。でも島内の本屋で修行をして、そう遠くない場所で独立開業というパターンは、もしかしたら今回が初めてかもしれない。

裕之さんに挨拶をして店をあとにすると、入口横に置かれているベンチに、おばあちゃんが座っていた。きっと彼女はこうして店の前を通るたびに、一息ついているのだろう。

一瞬で通り過ぎる旅人でも、その島のお店と人との関わりを垣間見ることができる。島の本屋は、そんな場所でもあるのかもしれない。

逆瀬川書店　鹿児島県西之表市東町119

2代目店主の逆瀬川裕之さん

逆瀬川書店には、何度か連絡をした。裕之さんが配達などに出られていて、なかなかお話ができなかったからだ。でも忙しくしている様子が伺えるのは、悪いことではない。

折り返してくれた裕之さんによれば、2020年9月時点では種子島では新型コロナウィルス感染者はおらず、島民はややピリピリしながらも変わった様子はないとのこと。逆瀬川書店の皆さんも「おかげさまで元気です」と教えてくれた。

種子島に住む人たちの安全と健康を、離れた場所から願うことにしよう。また必ず、行ける日が来るはずだから。

世界遺産を目指す島での「おもてなし」は本屋の役目!?

佐渡島（新潟県）

● 佐渡島

「佐渡にもぜひ来て！」

2013年頃、『離島の本屋』の読者からそんなお便りをいただいた。だから今回はトキでおなじみの、佐渡を目指すことに決めた。

「……でか！」

新潟港からジェットフォイルで目指した島は、想像していたよりもはるかに大きく山々も高かった。一番高い金北山の標高は1172メートルもある。択捉・国後と沖縄本島に次いで広いこの島には、現在11軒もの書店が（2017年現在）。行けるだけ行こうと、両津港から両津夷商店街まで雪の積もっていない道を歩くと、まずは丸屋書店にたどり着いた。

雪化粧した山々がジェットフォイルの窓からみえた

創業90年、現在は1935年生まれの野尻聰さんと3代目になる息子の健吾さんが切り盛りする店には、『離島の本屋』も！　嬉しい。レジ脇に並ぶ北一輝の本を眺める私に、

佐渡おけさ像がお出迎え

北一輝は佐渡の人だと聰さんが教えてくれた。東京で作られている佐渡の新聞『佐渡ジャーナル』や、残念ながらあと2号で廃刊を迎える『島の新聞』など、佐渡の今が一目でわかる新聞も置かれている。まさに佐渡のゲートウェイのような空間だ。

商店街を少し先に進むと、石川書店の看板が目に入った。

「今の時期はよくしけるんだよね～。今日は凪でよかったね」

1980年代初頭から店長をつとめる石川博美さんが、笑顔で迎えてくれた。1918年に文具なども扱う店としてスタートした石川書店は、初代の石川庄太郎氏から数えて5代目。もうすぐ100年を迎えるが、「ひいひいばあさんは島の反対側の外海府まで、古着の行商に行っていた」という逸話があるほど、地域との繋がりは深い。

博美さんは東京・石神井公園の書店で仕事を覚えたのち、島に戻って店を継いだ。その書店を選んだ理由は、仕入れから販売のことまで、トータルで見渡せる規模だったから。きれいな字の新刊コミック案内は、継いで以来ずっと書き続けている。

「昔はこれも、組み立てて売ってたんですよね」

店内のあちこちに、ラジコン模型が飾られている。ラジコンブームだった1975年頃、東京にいた先代の兄弟が「佐渡でも売ろう」と決め、結果、本と文具とラジコンが並ぶ「ワクワクした店」になったそうだ。

「パーツは今も売ってますよ」

引き出しを開けるとラジコンパーツがずらり。えっと、本屋さんですよね？思

90年以上の歴史を持つ丸屋書店のおふたり

5代目店主の石川博美さん

わず声をあげて笑ってしまう。

「時代が悪いせいか、新潟の暮らしを支えた田中角栄を懐かしむ島民が増えている」のだそうで、石原慎太郎が角栄を描いた『天才』の注文は切れ間がない。近距離に同業のお店があっても、島の人はそれぞれに行きつけがあるので、書店に限らず競合することは少ないそうだ。

翌日は国道350線を走り、佐和田（さわた）という地区の佐和田文庫へ。扉を開くと、店主の小野弘光（ひろみつ）さんと従業員の金子八重子さん、そして常連の美幸さんがワイワイ盛り上がっていた。

「山歩きの季節に来ればよかったのに〜。自分も雪溶けを待っていて、今ウズウズしてるんだよね」

佐渡のトレッキングガイドとしても活躍する小野さんは、工業デザイン関係の仕事をしていた。1983年に東京から戻り、「販売業は嫌だったけど、本の手触りは好きだった」から、1954年から続く店を親から引き継いだ。

雑誌コーナーには、ちょいちょいとエッチな本が。しかも売れていく。なんでも佐渡には健全な店しかないので、自分のことは自分で片づける精神が浸透しているのだとか（苦笑）。宮本常一の『私の日本地図』など、佐渡関連の本は常に2冊ある。1冊だと売れたら人目につかなくなるから、2冊並べて売れると補充しているそうだ。

佐渡には11軒の本屋があるけど、おととしも昨年も止めた仲間がいる。状況は厳しい。

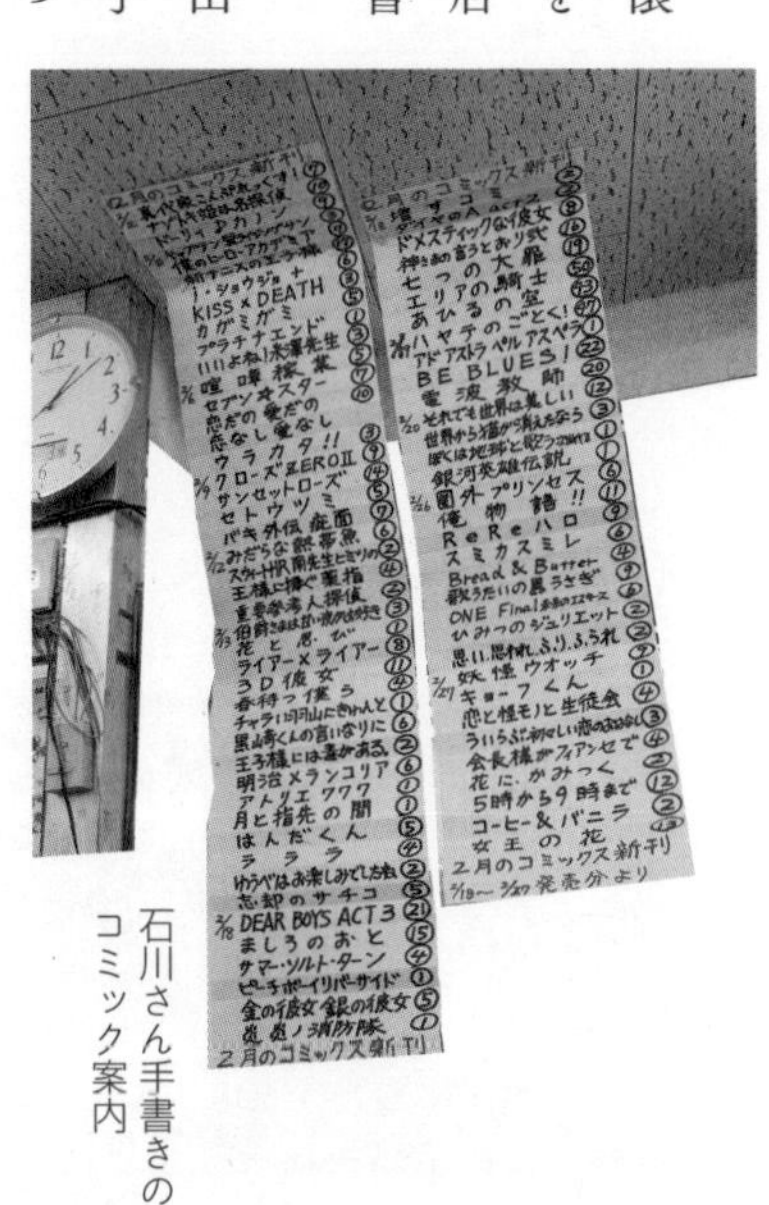

石川さん手書きのコミック案内

ラジコンパーツも売る

けれど「美幸みたいなお得意様もいるし、できる限りは続けていきたい」と、小野さんは語った。

そして。金山で有名な相川地区にある加藤新二書店の、御年80歳になる加藤珙子（きょうこ）さんも「もうやめるの？　ってよく言われるけれど、本屋をなくしたくないし誇りがあるの。佐渡鉱山の世界遺産を目指していて、かつては首府があった相川に本屋がなきゃ恥ずかしいでしょ？　元気なうちは続けたいと思います」と打ち明けた。

「加藤新二の息子の妻」の珙子さんは、満鉄に務める親のもと、大連で生まれたのち天津に移り、小学校3年生の時に引き揚げてきたと語った。子どもは7人いるが、継ぐ予定は誰もないという。

書くのも売るのも最近は「しんどい」ばかり。でもそれでも、「矜持があるから続ける」。金の延べ棒級の大事なことを、私は佐渡の本屋から教えられた気がした。

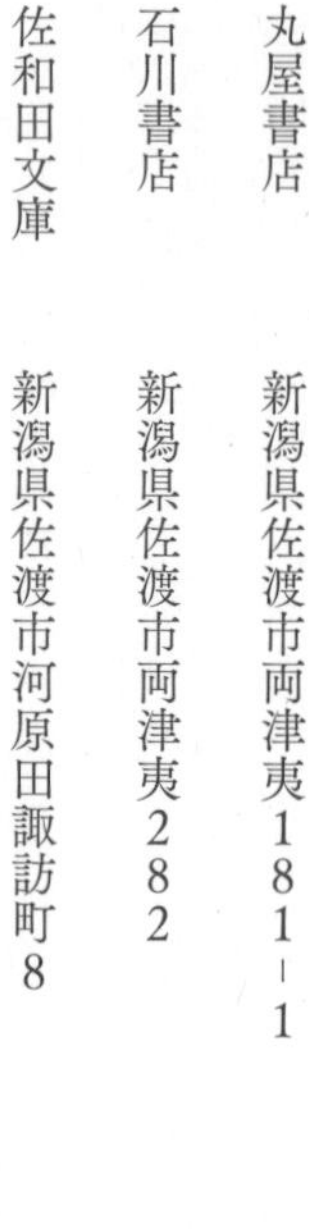

丸屋書店　新潟県佐渡市両津夷181-1
石川書店　新潟県佐渡市両津夷282
佐和田文庫　新潟県佐渡市河原田諏訪町8
加藤新二書店　新潟県佐渡市相川塩屋町16（閉店）

佐和田文庫の小野さん（左）

加藤珙子さん

加藤新二書店がある
相川地区は金山で栄えた
かつての中心地。
時の流れをずっと
見続けてきた

「街自体が寂しくなってしまいましたが、店はやっています。そちらもお元気ですか?」

丸屋書店に電話すると、すぐに健吾さんが出た。覚えていて下さり、とても嬉しかった。

続く石川書店の石川博美さんも「細々と続けています」と、取材時と変わらない声で教えてくれた。よかった。

そして佐和田文庫の小野さんによれば、小野さんも店も金子さんも美幸さんも変わりがないそうで、「佐渡の自然には多様性があって、色々見どころがあります。ぜひ自然にも触れて」と、トレッキングガイドならではの言葉をいただいた。はい、また必ずいきますので、ご案内お願いします!

加藤新二書店の加藤珙子さんは、2016年9月にたまたま見ていた『ブラタモリ』佐渡編にも登場していた。「お元気でいらっしゃるんだ」と嬉しくなったものの、今回電話をしたところ繋がらなかった。「佐渡人名録」というサイトの渡辺和弘さんによると、2019年5月に亡くなったという。再会がかなわない人が増えてしまった。しかし加藤さんの矜持は、今も私の中でピカピカに輝いている。

伊豆大島の個性的な書店を14年後に再訪したら

伊豆大島（東京都）

足掛け15年もの間、全国の島を巡っては本屋のドアをガラガラと開けてきたが、記念すべき連載第1回は、2005年の暮れに訪れた東京都の大島だった。

突然始まった連載で、何の下調べもしないで行ったものの、島の本好きが集まる「成瀬書店」、昭和のレジと昭和のおじさん・山田重雄さんが出迎える「冨士屋書店」、読ませるポップについ見入ってしまった「しまた土屋商店」と、訪れたどの書店も深く記憶に残るものだった。このあたりのエピソードは前著『離島の本屋』を、ぜひお読みいただきたい。

しかし2013年10月、大島を襲った台風26号の土石流により、成瀬書店を営む成瀬田鶴夫・純子さん夫婦の自宅が被災してしまった。山田さんもすでに引退している。

しまた土屋商店も笑えるポップで楽しませてくれた佐藤京子さんが亡くなり、店を閉めていた。かつて私が見た景色がどんどんなくなっている。

2005年の成瀬書店

● 伊豆大島

もう一度島に行きたいと思いながらも日々に忙殺され、願いは叶わないままだった。だが２０１９年5月、転機が訪れた。3月31日で成瀬書店を閉めたと、田鶴夫さんから連絡をいただいたのだ。

いつでも会える、いつでも行ける。そう思っているうちに人や場所はなくなってしまい、気づいた時に悔やんでももう取り返しはつかない。店は閉店したけれど、会いに行こう。私は伊豆大島に向かうジェット船に乗るべく、東京・竹芝（たけしば）の客船ターミナルに向かった（つまりこのエピソードそのものが、〝あの時、その後〟なのだ）。

夏を思わせる日差しの中、座席指定された小さなジェット船は満席だった。この日は修学旅行生が乗っていたのだ。阿鼻叫喚を覚悟していたものの、彼らは驚くほど静かだった。船のエンジン音とアナウンスだけが、しんとした船内に響く。

大した揺れもなく、ジェット船は定刻通りに岡田港に着いた。えっ岡田港？　集落近くの元町港じゃないの？

なんでもその日の風向きにより、ふたつの港のどちらかに着岸することになっているが、当日にならないとわからないそうだ。以前は飛行機で訪れていた私にとっては、初耳の情報だった。

岡田港からバスに乗って、成瀬書店を目指した。元町の集落に入り郵便局や町役場が見えてくる。この「島の中心街」に、成瀬書店はあるはずだった。

「結婚したら主婦の友」の看板とともに、建物自体は健在だった。しかし、店のシャッターは固く閉ざされている。電話で聞いていたとおりに裏に廻って隣家のチャイムを鳴らすと、純子さんが迎えてくれた。

ジェット船で1時間45分の大島

「本なんて買って、何になるの？」

住みやすくリフォームされた家は、田鶴夫さんの両親が住んでいたものだ。災害で自宅が流されて以来、すでに両親とも亡くなっていたこともあってこちらに引っ越した。おかげで復興住宅に入居せずに済んだと、純子さんが教えてくれた。

「台風で被災した時にはもう、ゆくゆくは店を閉めようと思ってたんです」

冷たい麦茶のグラスに口を付けた私に、純子さんが言った。

「ＬＯＶＥ書店！」の取材時の大島町の人口は９２００人だったが、14年後の２０１９年には約７５００人となっていた。しかし純子さんによると、高校を卒業して島を出ていく際に住民票を移さない子どもたちが多いため、島にいる実際の人口はこれより少ないという。

移住者によるゲストハウスや地域ブランディングのベンチャー企業などはあるものの、軸となる産業はない。だから一度島を出た子どもは戻ってこず、逆に親が一緒に出て行ってしまうパターンも多い。

「このへんは災害後人口が減ったんですけど、スーパーだけは岡田港に向かうまでに4軒もあるんですよ。島中がシャッター通りなのに、スーパーだけはできるんです。でも本はね……。ネット通販で買う人もいるけれど、読むこと自体やめてしまう人もいて」

本が売れない。その声は本屋取材を始めて以来、聞かなかったことはない。純子さんに向かって「本なんて買って、何になるの？」と言ったお母さんまでいた。しか

シャッターは閉じられ、通りは静かだった

しそれでも『おしりたんてい』（ポプラ社）が話題になった時には、店の扉をドンドン叩いて買いに来た子どももいたそうだ。

「もう閉める」と言ったら「困る！」「やめないで」という声も多く聞かれた。うれしかったけれど、先が見えない事業を続けていくしんどさより、リタイアする方が気楽だったと語った。

「店を閉めるまでのこの5、6年は、自分の好きなものを置こうと思って、絵本に力を入れていたんです。そしたら都心から遊びに来ていた子が、おととしと去年と2年連続で絵本を買ってくれて。『近くの本屋では欲しい本が見つからないから、大島に来るのが楽しみ』って言ってくれたけど、次に来たらもうないからがっかりしちゃうかな」

成瀬書店は島の人にとってはもちろん、都会から来た人にとっても文化への小さな入口だったのだ。

純子さんは現在、スーパーに勤めている。書店時代から顔なじみのお客さんもたくさんやってくる。店を閉めても元お客さんとのつながりは続いているが、逆にそれは本に触れられない寂しさを、強く実感させるものになっているような気がした。

どう言葉を返したらいいか考えていると、田鶴夫さんが帰ってきた。田鶴夫さんは、いまはガソリンスタンドに勤務し、配達作業などに追われる毎日だ。

「いろいろ考えたんですけど、今度はつぶれないところにしようと」

少しはにかみながら、田鶴夫さんが言った。

先の見えない毎日から解放されて、今はほっとしていると田鶴夫さんも言った。

「最後は絵本に力を入れた」という純子さん（右）と田鶴夫さん

文庫がずらりと並んでいた棚がガラガラになった時には、夫婦ともにさすがにこたえたそうだ。しかしそれは田鶴夫さんの父親の時代から、約70年続いた書店の締めくくりを、島の人たちは惜しみ、たくさんの本を買ってくれたから。だからゆえのガラガラだったのだ。

「伝わったんだ、と思いました」

そして純子さんは続ける。

「『本なんて買って、何になるの?』って言うけど……。なる!」

積み重なる別れと、生まれ変わるもの

ふたりに見送られながら、ジェット船とセットで格安料金だった大島温泉ホテルに向かった。

チェックインしてひとりになり、ホテル屋上から三原山を望むと、満月には一日早い月が空に浮かんでいた。月は欠けても再び満ちる。しかし人間は、いつまでも同じ場所にはいない。

実は取材後に一度だけ、友人と三原山に登るために日帰りで大島に来たことがあったが、その友人も数年前に鬼籍に入っている。私が寂しさを感じたのは、決して「ひとり旅だから」だけではなかったはずだ。

翌日の船は、元町港から出ることになっていた。元町港から成瀬書店は歩いていける距離だが、冨士屋書店もそのすぐ近くにある。2013年に店主が山田重雄さんから小関智(こせきさとし)さんという方に変わったことは聞いていたが、山田さんはどうしてい

1986年に噴火したものの、今は静かな三原山

るのか。

ガラス戸を開けると、智さんの妻の小関恵（めぐみ）さんがレジに座っているのが目に入った。智さんの父親と山田さんが知り合いだったことから、小関さん夫婦が店を引き継いだのだ。恵さんに山田さんのことを尋ねると、2013年に『離島の本屋』が出版されて程なくして、亡くなったそうだ。また別れが、積み重なってしまったのか……。

しかし初めてお会いする恵さんに名前を告げると、訪問を歓迎してくれた。現在は保険代理店も兼ねているので書店スペースは狭まったものの、雑誌からマンガ、ハードカバーまでが並んでいるのは変わらない。そして壁には、日本地図と「冨士屋書店」の文字が入ったカレンダーが貼られていた。これも山田さん時代から続くもので、1年ごとに日本地図と世界地図に変えているそうだ。

時間が経てば変わってしまうものばかりだけど、誰かに思いが引き継がれることで、違う形になって再び姿を現すものはある。山田さんはいなくなったけれど続くものはあるし、成瀬書店は閉店したけれど、島の人たちの心には、今も本に囲まれた成瀬夫婦の姿があるはずだ。

取材したきりでどうしているかわからないままの相手は、大島に限らずたくさんいる。『離島の本屋』も新たな場所に行くばかりで、それっきりになっている島も数多い。だけどたまには、振り返りの旅もしてみよう。そんな願いを抱かせてくれた、3度目の伊豆大島の時間だった。

冨士屋書店　東京都大島町元町1-2-4

冨士屋書店の小関恵さん

山田さんから引きついだ店内

本も作ればケーキも作って売る　マルチな役割を持つ本屋の島

沖縄本島（沖縄県）

沖縄本島は、正直、この取材で行くのを避けていた場所だ。理由はいろいろあるが、そもそも古株のリブロをはじめ、ジュンク堂や宮脇書店、未来屋書店といった大型書店もある。他の地域のように「島で唯一の書店」どころか大型店がひしめくデカい島を訪ねても……と自重してきたが、ウェブメディア「DANRO」での連載を期に、その「禁」を解くことにした。

この「大きな島」を調べてみると、興味深い本屋はいくつもある。そのひとつが新刊書籍の出版もしている、古書店の榕樹書林だった。

「取材に行きたいんですけど……」

おそるおそる連絡すると、衝撃の言葉が返ってきた。

「その日は沖縄にいないけど今度東京に行くから、神保町で会いませんか？」

かくして向かった神保町。取締役社長の武石和実さんは、秋田県のご出身。1972年に移住し、80年に那覇市内にお店をオープンさせた。しかし「大学がふたつ（沖縄国際大と琉球大）あるから、学生に期待して」、83年に宜野湾市に移った。出版は91年から始めたが、きっかけは1938（昭和13）年に刊行された『空手道大観』だった。

出版も手がける武石和実さん

●宜野湾市
●西原町

「展示即売会で6万円で購入したんだけど、現物を売って終わりにするより、復刻して広く読まれた方が良いのではと思ったんです」

実際この本は品切れとなり、現在は電子書籍で再販されている。ほかにも全100巻で270万円超!の『沖縄戦後初期占領資料』から、2015年に一番売れたという柳宗悦の『芭蕉布物語』の新版まで、琉球弧文献などを広く刊行している。店頭の武道関連本の品ぞろえは噂となり、遠くイスラエルからもお客さんが来たそうだ。

武石さんは東アジア地域の書物交流を促進する『東アジア出版人会議』のメンバーで、東アジアの出版文化に貢献した人に贈られる、韓国の「パジュ・ブック・アワード」の東アジア出版賞の特別賞を受賞している。目指すは沖縄と東アジア諸国による、〃読書共同体〃だ。

店を訪ねると、古書と数は多くないながらも他版元の新刊が、同じ棚にぎっしりと並んでいた。

「売れないから在庫が増えていくんですよ〜」

店を預かる女性はそう笑ったが、私が「調べたいけど、どんな文献があるかの見当すらつかない」と悩んでいた、沖縄からの南洋移民関係の本が簡単に見つかったのは、さすがとしか言いようがない。

榕樹書林を足掛かりに、楽しい観光地なだけではない沖縄の姿を知りたい。強くそう思いつつも、甘いものが無性に恋しくなってきた。

次に目指したBook Cafeブッキッシュで、コーヒーとチーズケーキをオーダ

「榕樹」はガジュマルのこと

「売れないから在庫が増える」と言うが、なかなか壮観

ーしてほっと一息。幸せ……。

ブッキッシュは2006年に浦添市内にオープンし、15年に西原町に移転したブックカフェで、〝本好き〟の意味を持つ。元図書館司書の多田明日香(ただあすか)さんが母&おばと切り盛りするブッキッシュにも、沖縄関連本をはじめとする古書と新刊が並んでいる。

「お客さんからの寄贈本もあって、それが品揃えに影響しています。ある方が『本は出合った時が新刊』と言っていましたが、まさにその通り。新刊か古書かはこだわらず、読みたい本があれば買う方がほとんどです」

知人作家による雑貨や、多田さんの父上が育てた野菜や果物もある。そしてこの日は沖縄の出版社・ボーダーインクから出版されたレシピ本『おうちでうちなーごはん!』(はやかわゆきこ著)の、原画展示会がおこなわれていた。

「本は色々なものと結びつけられるから、色々な見せ方ができるんです」

多田さんの言葉どおり、ブッキッシュでは著者を招いてのイベントはもちろん、映画上映会などもおこなっている。カフェで書店でイベントスペースで……なこの場所で、次に何をしようかと多田さんは日々、ワクワクしているそうだ。

ストイックに沖縄の本を作り続ける本屋もあれば、いくつもの顔を持つ本屋もある。沖縄本島は、型にはまらない本屋に出合える場所だった。こうなりゃ全店踏破を目指したい。いつまでかかるかわからないけど、どうぞ今後もお付き合いのほどを。

榕樹書林　沖縄県宜野湾市宜野湾3-2-2

ブッキッシュ　沖縄県中頭郡西原町字棚原83-1-2F

古書と新刊が並ぶブッキシュ

ケーキの他にパスタやベーグルサンドなどもメニューに

「普段の生活に本や食事などで寄り添える店を作りたい」と語る多田さん

榕樹書林の武石さんは、「店も私も生きてます」と闊達な声で電話に出てくださった。しかし2020年は東京・神保町の東京古書会館で開催されていた古書の即売展や古本市が中止になり、沖縄での交換会も延期になったりしていて、コロナの影響を感じているとも語った。またお目にかかれることを、強く願うしかないのがもどかしい。

ブッキッシュは「イベントや本もあい（本の交換市）の開催は難しいものの、絵の展示会やテーマで絞った本の展示販売などは7月から再開した」と多田さんが教えてくれた。また「変わらず野菜や果物の販売も行っていて、常連さんは、席に座る前にカートをのぞきこむ事もしばしばです（笑）」とのこと。これからも甘いものやお腹を満たすものとともに、多くの人が「私の1冊」に出会えますように。

沖縄の出版社と書店のときめく関係

沖縄本島（沖縄県）

沖縄本島で書店取材を始めるにあたり、最初に気になったのは那覇市内の「与儀の電柱通り」にある出版社、ボーダーインクだった。本屋ではないけれど、刊行する本のすべてが沖縄がテーマのいわば〝沖縄縛り〟の総合出版社のことが、ずっと気になっていたのだ。

沖縄に限らず全国各地には、その土地ならではの本を出版する「ご当地出版社」がある。古老から郷土史研究家、学校の先生など、地元を知る者が書き手となり、地域に根差したテーマを記録し、発表している。その土地のことを知りたいと思ったら、まず手に取るべきは、ご当地出版社の本と言えるだろう。

沖縄には沖縄タイムス社や琉球新報社などの新聞系、カフェや印刷所などとの兼業系、そして南山舎や沖縄文化社といった専業系がある。ボーダーインクも専業系で、創業は１９９０年４月。これまで５００点以上を刊行してきた。

狭い道に居並ぶ電柱を横目に道を進むと、町の本屋ならぬ、町の出版社といった

ボーダーインクの新城和博さん（左）、池宮紀子さん（手前）、喜納えりかさん（奥）、金城貴子さん（右）

佇まいの建物が視界に入る。これまた離島の本屋さん風味の引き戸を開けると、中から編集の喜納（きな）えりかさんや新城和博（しんじょうかずひろ）さんをはじめ、4人のメンバーが出迎えてくれた。

新城さんは『ぼくの沖縄〈復帰後〉史』シリーズや『ぼくの〝那覇まち〟放浪記――追憶と妄想のまち歩き・自転車散歩』などの著者でもある。編集をしつつ執筆もする、まさに編集者の鑑（？）のような存在だ。

〝スパークジョイ〟する本

ボーダーインクは、かつて存在した沖縄出版という会社にいた創業者の宮城正勝さんが、「自由に好きなものを作りたい」と独立したことで生まれた。現在スタッフは5人で編集者は3人。創業者の宮城さんは、池宮さんに経営を譲った後も、編集の仕事を続けている。本書88ページでも紹介する、市場の古本屋ウララの宇田智子さんの『那覇の市場で古本屋』のように、全国区に知れ渡った本もある。しかし読者の8割強が沖縄県内の人であるため、那覇の末吉公園に特化した植物ガイドの『楽しい植物ウォッチング』のような、超ニッチな本も手掛けている。

「うちは賞の類とは無縁なので売るのが大変なんですけど、忖度する相手はいませんから」と、新城さんはさらっと言う。沖縄がテーマであっても、内容がつまらなければ出さない。一方で、これまでに類書がないものなら、初めての書き手でも出版の可能性があるそうだ。

「今後は〝スパークジョイ〟する本を、うちも作らないと」（新城さん）

ボーダーインクの新機軸

「CAFE」と「陶器」より若干「本」は控えめな看板

スパークジョイって何なんだ……？（どうやらコンマリこと近藤麻理恵による〝ときめき〟の英語訳らしい）と顔に出さずに思っていたら、喜納さんが「これがうちの新機軸です」と、2冊の本をテーブルに置いた。

学校の副読本のような版型の『おきなわが食べてきたもの』と『おきなわの一年』をめくると、いずれも沖縄の歴史や文化がイラストとともに紹介されていた。子どもでも読めるように振り仮名がばっちり振ってあるが、文字量は総じて多く文字サイズも小さめ。

「食べてきたもの』編では、先史時代から現代までの歴史を食べ物を切り口に紹介していたり、『一年』では那覇を焼き尽くした『十・十空襲』（1944年10月10日の大空襲のこと）にも触れていたりと、大人が見ても「うむむ」とうなる内容になっている。あっさり読めて沖縄の歴史や文化がよくわかる、確かにこの新機軸は〝スパークジョイ〟するかも……。

カレーと陶器と本とくじらと

ボーダーインクの喜納えりかさんの車に乗せてもらい、2人で那覇から南東にあって太平洋を望む八重瀬町の古書店・くじらブックスを目指した。2017年10月まで那覇市内の松川地区にあったが、翌年2月に八重瀬町に引っ越していたのだ。

白とブルーの建物に入ると、本とやちむん（沖縄の陶器）、そしてテーブルが置かれていた。店の約半分がカフェになっていて、カレーやコーヒー、スイーツが味わえるようになっている。ちょうどお昼時だったので、笑顔がステキな「美帆ちゃん」こ

タイ風スープカレーセットは1300円

渡慶次美帆さん

と渡慶次美帆さんに、タイ風スープカレーのセットを注文。すると渡慶次さんの父親がレシピを考えたという、野菜たっぷりのカレーがやってきた。

豊見城市で生まれた渡慶次さんは、学校卒業後、那覇市内のジュンク堂で約8年間働いていた。辞めてからも独立する予定はなかったものの、那覇市内の実家が道路拡張に伴い引っ越しを余儀なくされたことで、「新しい場所で本屋を始めようかな」と思ったそうだ。なので、取り壊されるまでの数カ月間は、仮店舗として松川の実家で店を開いていたのだ。

「家族に相談したら『本屋だけでは厳しいのでは』と言われたので、新店舗ではカフェも一緒にやることにしました」

店を開いてみたら、子ども連れや、ゆっくりしたいお客さんも多かったので、子ども向けメニューやスイーツも加えることに。今ではコーヒーとともに読書をゆっくり楽しむ常連さんが増えたが、一見さんももちろんいる。通りすがりにふらっと立ち寄りたくなる雰囲気なのは、くじらグッズが溢れているからだろうか。しかしなぜ『くじらブックス』なのだろう?

「くじらは大きくて好きですけど、とくに意味はないんです」と渡慶次さんは言う。ちなみにカフェには『Ｚｏｕ Ｃａｆｅ』という名前がついているが、これは父親の名にちなんだものだそうだ。

くじらブックスの白とブルーの爽やかな外観

沖縄の人は新刊か古本かにはこだわらない

新刊と古書の両方を扱っているが、とくに棚を分けてはいない。付箋に値段が書いてあるのが古本で、付箋がないものが新刊だ。オープン当時は古本の割合が多かったが、今では新刊も増えてきた。

「沖縄の人は、新刊か古本かにはさほどこだわっていない。だから注文を受けた際に、古本でと言われたら、古本を探すようにしている」ので、本は古いか新しいかではなくジャンル別に並べているそうだ。ざっと眺めた限りでは沖縄関連本も多いが、哲学書やノンフィクションも揃っている。

「近くにスーパーのサンエーがあるので、サンエーの書籍コーナーになさそうな本を置くようにしています」

アウトレットの洋書も扱っていて、ジュンク堂時代に取り引きしていた業者から仕入れていると教えてくれた。

「ジュンク堂で働いて学んだことや得たことは大きかったですね。今はこれ以上棚を増やせないので、あるスペースをどう活用していくかが課題です」

「自分が好きな本だけではなく、良い本を置くようにしている」との言葉通り、アーティストのイ・ランの本や韓国のフェミニズム文学など、根強いファンがいるジャンルはしっかり押さえている。『82年生まれ、キム・ジヨン』(筑摩書房)は取材した2019年初夏時点で、すでに3冊は売れていたそうだ。

店内では、不定期だがイベントも開催していて、『ヤンキーと地元』(筑摩書房)の著

くじらブックスの店内。表紙が分かる陳列になっている

古書と新刊が混在するが、付箋で見分けられる

者で社会学者の打越正行(うちこしまさゆき)さんのイベントには、約40人が店につめかけた。「地元で色々な人の話を聞けたら、子どもたちが嬉しいはず」と思っているから、これからも著者を招いていきたいと語った。

くじらブックスもやはり「本プラス何か」がある店だった。この「本屋=本を売るところ」という発想を軽く飛び越える柔軟さは、沖縄ならではのものなのだろうか？それとも、人によるものなのだろうか。答えを導くにはまだまだ、見てきた本屋の数が足りない。もっとあちこち巡らないと……。

くじらブックス&Ｚｏｕ Ｃａｆｅ
沖縄県島尻郡八重瀬町屋宜原135-2

焼き物（やちむん）は渡慶次さんの母親がセレクト

店内のあちこちにくじらグッズがある

「2020年の4月から1カ月ほど休業しましたが、今は感染対策をしながら通常営業を続けています。お客様も元々近隣の方が多く、売上にコロナの影響はさほどありません。そして、一人で来店され、コーヒーや食事をし、ぼんやり・のんびりする方が明らかに増えました。ふらっと立ち寄れる近所の店が、今こそ必要とされている。頑張り時だ！と感じています」と、お元気な様子が文面からもわかるメールが渡慶次さんから届いた。ピンチをチャンスに。今こそ、「家の近くの店」が見直される時なのかもしれない。でも家から遠い私も、また行きたいのですが！

くじらブックスから車で20分程行くと平和祈念公園に着く

かつてはレーシングカーとともに今は地元の子どもたちとともに

沖縄本島（沖縄県）

●金武町

沖縄本島を取材中、同県の出版社・ボーダーインクの喜納えりかさんと書店談義をしていた時のこと。「金武に〝THE 町の本屋さん〟って感じの店があるんだけど……」と聞きつけ、いてもたってもいられなくなった。翌日すぐに、那覇から高速バスで金武を目指した。

その金武文化堂は金武小学校の隣にあり、すぐに見つかった。オープンは1960年、店を継いで「25年ぐらい」の2代目・新嶋正規さんが、爽やかな笑顔で迎えてくれた。

金武には中学まで、高校からは町外に出た新嶋さんは、一般車のディーラーを経て、某メーカーのレーシングチームに所属していた。マンガ『サーキットの狼』と「エンジンオイルの灼けるにおいが好き」だった新嶋さんは、チームの一員として腕を振るった。しかし見事に夢を叶えたものの、先代に「戻って来い」と言われて方向転換。埼玉・浦和の須原屋書店で2年間、大手取次のトーハンで1年間研修してUターンした。

「いつも3時ぐらいから子どもたちが来るんだけど、今日は休日だからどうかな～」と、話すそばからサッカー練習帰りの子どもたちが、わらわらとやってきた。新嶋さん、

金武文化堂

レジ打ちに大忙し。彼らのお目当ては、レジ前に置かれている駄菓子。梅味の飴「スッパイマン」や、10円玉を2枚入れると出てくるガムマシンが人気なのだそうだ。

「向かいにコンビニもあるけど、うちは駄菓子は消費税取らないから」

駄菓子は子どもたちへのサービスで、消費税を取らないのはお小遣いを計算しながら、組み合わせて買っていく子のためでもある。

長崎県から帰省していた、与那城春香さんがひょっこり顔を出した。

「私も駄菓子ばっかり買ってたな。ここしか来るとこなかったし」と言うと、「全然本読まないのにいつも来てたね」と、新嶋さんも嬉しそう。島を出てもこうして、帰省のたびに寄る元小学生も多い。

女の子たちには文具も人気で、値段を見ながらおしゃべりする、みくちゃんとゆいねちゃん、りんちゃんは5年生仲間。新嶋さんは子どもたちと「これいくら？」「〇円」のやりとりを続けて25年あまり。30分以上話しこむこともあるという。

書棚にはマンガと雑誌、そして沖縄関係の本が並んでいた。書店本も充実しているところが、ちょっと心ニクイ。

「地産地消ではないけど、沖縄の本は沖縄の人に売れるんです」

ふと入口横にある、電話機が気になった。なんと町内はタダでかけられる、町内電話だった。今はスマホがあるけど、昔はここから子どもたちが、親や祖父母などに送り迎えをお願いしていたそうだ。じっと見ていると突然、スピーカーからうちなーぐち（沖縄の方言）の、ラジオ体操が高らかに流れてきた。動画でお見せできないのが申し訳ないほどコミカルで、つい笑いが……。

2代目店主の新嶋さん

人気のガムマシン

この日はマンガの『文豪ストレイドッグス』こそ売れたものの、圧倒的に駄菓子や文具ばかりがはけていく。スマホやタブレットが普及し、少子化もあって全国の同業者が消えていく中で、新嶋さんは先の見えない事業に悩む時期が続いた。答えを求めるべく、全国の小規模書店を巡って店主と談義したり、なんと横浜まで書店セミナーに1カ月間通ったこともあるそうだ。悶々と考えながらも動くことで、ある思いを得た。それは

「カッコつける必要はない、泥くさい地道な〝町の店〟でいいと確信したんです」

かつては家電やレコードなども扱い、豊富な品揃えから「金武の山形屋」（「山形屋」は沖縄にもあった、鹿児島のデパート）との異名を取っていた。今は切手や印紙、ノートや駄菓子など薄利多売の日々が続く。でも新嶋さんは言う。

「その土地の本屋には、その土地なりの役割がある」

確かにそうだ。そしてその役割を知りたいから、私はこうしてあちこちを訪ねているのだ。

かつてのレーシングチームに新嶋さんが必要だったように、皆それぞれに違う役割があり、そこには良いも悪いもない。ただ本屋なら、訪ねてくる人への優しさがあるかが決め手になるのかも。なんて思いながら、私は那覇に戻るバスに飛び乗った。

金武文化堂　沖縄県国頭郡金武町字金武533

小5トリオと帰省中の春香さん（右）

町内はカケホーダイ

金武文化堂は取材時と同じ場所に、2019年に建て替えている。

「前の建物は県内でも5本の指に入ると言われるほどの、古い鉄筋コンクリート造りで築60年以上だったんですけどね。雨漏りがひどかったので、本屋としては致命的でしょ?」と、新嶋さん。

以前の建物と同じオレンジを基調にしているけれど、前は2階建てで今は平屋と、取材時とは違う佇まいだ。新しい建物を実はまだ見ていないし、元気な子どもたちの声とうちなーぐちのラジオ体操も聞きたい。ああ、早く行きたい。

新刊も古本も雑貨も並ぶ「まちやぐゎー」な沖縄の書店

沖縄本島（沖縄県）

宜野湾（ぎのわん）の榕樹書林（ようじゅしょりん）と西原町のブッキッシュを訪ねた1年後、沖縄本島を再訪した。その前回訪ねたのが、新刊本と古本の両方を扱い、出版もしている榕樹書林と同じく古本と新刊を置きつつ置きつつ、積極的にイベントを開催しているブッキッシュだったのは正解だった。というのは、全沖縄古書籍商組合の組合長が、榕樹書林の武石和実さんで、加入しようかと悩んでいたのが、ブッキッシュの多田明日香さんだったから。重鎮と若手に会ったことで、沖縄の古本屋事情に少し詳しくなったと思えたのだ。

そしてこの取材で沖縄では、新刊本と古書を同じ棚に並べている書店がいくつもあることを知った。他の地域では古書と新刊はしっかり分かれて売られていることが一般的なので、興味深く映った。「沖縄の人は新刊と古書を区分けしないし、買うときはこだわらない」という声も複数聞いた。

一番の古株と若手を取材したなら、当然他の古書店も知りたくなる。そこで広い沖縄本島をバスで本屋巡りするという、大胆かつ無謀な旅に出た。

沖縄の書店の特徴は『まちやぐゎー』？

いかにも勇ましいことを言いながらも最初に向かったのは、那覇市の国際通りすぐ近くにある映画館・桜坂(さくらざか)劇場だった。その後さまざまなお世話になる沖縄の出版社「ボーダーインク」の喜納えりかさんと初めて会ったのもこの時だった。

ボーダーインクの本を初めて手に取ったのは2000年頃、初めての沖縄旅行で見かけた『ハングルと唐辛子——沖縄発・東アジアいったり来たりの文化論』(津波高志)という本だった。韓国と沖縄の文化を比較した本にはそれまで出会えなかったので、興味深くページをめくった。

劇場内のカフェ「さんご座キッチン」で喜納さんと向かい合い、挨拶をかわす。沖縄のポップカルチャーを紹介していたので「いいな」と思いボーダーインクの面接を受けに行き、「泡盛飲めます」と言ったら採用されたこと、基地問題が話題になることが多いが、「沖縄とはこういう場所だ」というイメージに抗った本を出したいことなど、喜納さん自身について伺い、ついでに自分のことも話した。

そしてなんでも沖縄の本屋には、「まちやぐゎー」という特徴があることを聞いた。「まちやぐゎー」とは、ボーダーレスに日用品を扱う雑貨店のことだ。本プラス何かを置く本屋は、沖縄では歴史的に珍しくないそうだ。

「本土復帰前の沖縄では、本土からの仕入れは貿易扱いでした。だからLCという信用状を持っている大手書店が、小さな書店の本も仕入れていたんです」(喜納さん)

桜坂劇場という映画館の中にあるふくら舎

小さな書店は港に本を取りに行きがてら、別の問屋から色々仕入れていた。また返品ができない買い切りだったこともあり、確実に売れそうなもの白物家電と本を並べる店もあったという。

では現在はどうなのだろう？　喜納さんに案内してもらい、一緒に那覇の本屋を歩くことにした。

ちなみにこの桜坂劇場内にもふくら舎という、新刊&古書店がある。1階は書籍、2階はやちむん（沖縄陶器）や琉球ガラスなど、やっぱり本&別の何かが置かれている。この時はドキュメンタリー映画「米軍が最も恐れた男」公開のタイミングだったから、書籍スペースにはその主人公・瀬長亀次郎に関する著作が多数並んでいた。古書担当の武富愛さんによれば、普段は美術書が充実しているそうだ。

祭祀のハウツー本が全世代にバズる

桜坂劇場から牧志の公設市場（改築のため2019年クローズ）に向かうアーケードの一角には、文栄堂という書店がある。1975年頃から国際通りで書店を営んでいたが、2000年に今の場所に移転したそうだ。小ぢんまりしたスペースには雑誌をメインに、みちっと本が並んでいる。

店頭に立つ稲嶺朝子さんによると、沖縄式の祭祀である「御願」についての本や、高島暦が売れ筋だと教えてくれた。とくにボーダーインクの『御願ハンドブック』は、御願といっても何をどうし

武富さんは古書担当

カラオケの美声に誰もが舌を巻く（喜納さん情報）と噂の稲嶺朝子さん

たらいいのか分からない若者から基本を押さえておきたい年配まで、絶大な売り上げを誇るという。

文栄堂から200メートルほど離れた浮島通り沿いには、絵本専門書店の「えほんやホッコリエ」があった。あったと過去形なのは、18年4月に閉店しているからだ。ホッコリエは那覇出身で、内地でイベントの企画制作やフライヤーのデザインをしていた石田夢子（いしだゆめこ）さんが、13年9月に開いた店だった。取材当時、石田さんは、「子どもの絵本を探しているうちに、魅力的な絵本を大人にも伝える店を作りたいと思い、まずは古本から集めようと思った」と語っていた。

メンズファッションの店の跡地に、石田さん自身で図面を引いて内装を考えたホッコリエは、絵本を手に取って選んで読める温かな空間だった。再訪する前になくなってしまったけれど、あったことは文字に刻んでおこうと思う。

その名のとおり絵本に囲まれてホッコリしてしまった、ホッコリエから一転。エドガー・ケーシーや丸尾末広、琉球空手の本など、好きな人にはたまらない本が並んでいたのは、06年にーープンしたちはや書房だ。

店主の櫻井伸浩さんは宮城県出身で、店を始める前は沖縄には年1回来る程度だったという。縁あって先代から受け継いだ店には、水木しげるの本が充実している。もともと櫻井さんは水木しげるファンで、コレクターでもあった。だから同店のことが紹介される際は、必ずと言っていいほど「水木しげるに強い店」と書かれる

かつてあった、えほんやホッコリエの店内

移転前のちはや書房にて話し込む喜納＆櫻井コンビ

ほどだ。

近くの波上宮（なみのうえぐう）のお札とともにダダと仙台四郎が棚に並ぶ、櫻井さんの趣味がダダもれな店内は私にとっても居心地がよかった。のでつい棚チェックにはげんでしまい、ナン・ゴールディン（ニューヨークの女性写真家）の写真集を手に取ってしまう。買えばよかったかな……。とはいえ児童書やファンシーめな雑貨などもあり、来る人を選ぶというわけでは決してない。誰もが何かしら「おっ」と思える本と出会えそうな、そんなたたずまいだった。

30年以上働いていても、初めて出会う本がある喜び

ちはや書房を後にした私は、喜納さんの車で宜野湾市の「ＢＯＯＫＳじのん」を目指した。

沖縄県道２４１号で普天間（ふてんま）基地方面を目指すと、道沿いにＢＯＯＫＳじのんの看板が見えてくる。店に近づいてみると……。入口前に「当店の最安値コーナー　何と！ 19円均一（税別）税込み21円だよ〜ん」と書かれた、21円コーナーが目に入ってきた。その手前には1冊50円、3冊で税込み１０８円の文庫も並べられている（当時）。

恐る恐る店内に足を踏み入れると一見チョイ悪、でもとても優しそうな風情をたたえた、店長の天久斉さんが迎えてくれた。天久さんは大学生だった１９８２年からアルバイトをしていて、勤

ジモティは宜野湾を「じのーん」と呼ぶ

務歴36年目だと教えてくれた。

と言ってもBOOKSじのんになったのは97年のことで、前身は81年にオープンした、ロマン書房という店だった。ロマン書房は那覇をはじめ県内各地に出店していたものの、立ち行かなくなりクローズした。宜野湾店は存続したものの店名を変えざるを得なくなり、97年にうちなーぐち（沖縄の言葉）で宜野湾を意味する「じのーん」にちなんで、じのんとなった。

「ずっと地元育ち」の天久さんは琉球大学出身で、「考えて動けば、結果が出る時代だったから」と、バイト時代から店長を任されていたという。

沖縄国際大学から約1キロの距離も幸いしているのか、地元の研究者との太いパイプがある同店は、「沖縄」をテーマにした本の品ぞろえがとにかく手厚い。

「研究者はたった一行のために、高価な本を買ってくれるんだよ。もう30年以上働いているけど、今でも見たことがない本と出会うとわくわくするね。あとはとんでもない本を探している人が、その本と出会える場面に立ち会えると嬉しくて」

沖縄各地の郷土史や歴史民俗資料館の冊子などもあり、地域のことを深く知りたい場合はここに来れば間違いはなさそうだ。地域本以外にも『琉球銀行三十五年史』『沖縄ハンセン病証言集』、与那国（よなぐに）町老人クラブ連合会の記念誌といった「沖縄の○○史」がわかるものが、オールラウンドで置かれていた。悩まし気な琉球美人が描かれた『沖縄ことわざかるた』も興味深い。

「ロマン書房時代はCDとかレコードとか、エグい本とかもあったんだけどね」

とはいえ今も『奇譚クラブ』や『えろちか』など、なんだかエグそうで通好みそう

じのんにあった、『沖縄ことわざかるた』。うちなーぐちが学べる

な本も並んでいる。またBOOKSじのんは新刊書店ではないにも関わらず、ブッカー（本のカバーコーティング）ができることから宜野湾図書館に新刊本を納入している。沖縄関連の堅い本の、大量一括買いを請け負っていることも特徴だ。

それはひとえに置ける場所（店舗）があり本がさばけるだけでなく、大きな車があるから、もう売れる見込みがない本を近くの処理場に捨てに行けるからだと天久さんは言った。仕入れたものが売れるのを待つだけではなく、時には思い切りよくお別れするのも、店を続ける上で必要なことなのだろう。本の末路については普段あまり聞かないだけに、少し新鮮に聞こえた。

ところで21円コーナーは、なぜ21円なのだろう？　21世紀だから？

「税込み20円にしたかったけれど消費税が8％に上がった時に、21円になっちゃって。面倒だからそのままでいいかと（笑）」

消費税が10％に上がった現在はどうなのだろう？　気になるところだけど、もう少しほかの沖縄本島の本屋探訪を続けたい。

ふくら舎　沖縄県那覇市牧志3-6-10
文栄堂　沖縄県那覇市牧志3-3-1
ちはや書房　沖縄県那覇市泉崎2-14-11-101
BOOKSじのん　沖縄県宜野湾市真栄原2-3-3

ずっと地元育ちの天久さん

じのんの天久さんに『離島の本屋ふたたび』刊行のお知らせをすると、「単行本になって、書き下ろしも入ってるなんて待ち遠しい！」とメールをいただいた。その書き下ろしにも天久さんが登場することは、この時はまだ秘密にしておいた。

那覇のふくら舎は今日も絶賛営業中だけど、武富さんは退職されたと伺った。またいつか、どこかでこの本を通してお目にかかれることを祈りたい。

文栄堂の稲嶺さんは、2020年の取材で行ったブンコノブンコからホテルに戻る際に、店の前でお見かけした。忙しくされていたので声をかけずに通り過ぎたけれど、次はこの本を持ってご挨拶にいけたらいいな。

ゆいレール県庁前駅から歩いて行ける場所に移転した、ちはや書房の櫻井さんは「静かな街並みでとても気に入っています」と語り、新天地でもエネルギッシュに続けていることがわかった。いずれも変わらぬ様子で本屋を続けられている。それは私にとっても、心が躍ることだ。

沖縄にあった「タトル」の記憶と、本がつなぐ交流

沖縄本島（沖縄県）

2017年秋、沖縄の古本屋&本屋を巡った。その際に沖縄では新刊本と古書が並んでいたり、本にプラスして「何か」がある古本屋があるということを知った。それが、宜野湾市のBOOKSじのんであり、那覇のふくら舎だった。ちなみに、じのんの税込21円の本は消費税が10%になっても、21円のままだそうだ。

ちょうどこの頃、県内全土で約1カ月半にわたり「ブックパーリーOKINAWA」という本のイベントが開催されていた。13年2月のプレイベントの「ひとはこ古本市」という古書フェアに始まり、14年の「ブックパーリーNAHA」を経て16年からブックパーリーOKINAWAとして、古本市から詩の朗読会、沖縄にちなんだ作家の講演会などがおこなわれてきた。

この時泊まっていた国際通り近くのホテルから、歩いて行ける距離にあった言事堂（ことことどう）という古書店でも、この時『王様のねこ』という絵本の展覧会をしていた。まず、ここに足を運ぶこ

言事堂は、ブーゲンビリアの木の横の一軒家だった

沖縄市
那覇市

とにした。

沖縄には美術専門書店が、10数年前までなかった

外から「こんにちは」と声をかけたら窓から誰かが顔を出してきそうな、白い小さな一軒家。美術書や工芸書を専門に扱う言事堂は、2015年5月に若狭という地区から今の松尾に移ってきた。

店主の宮城未来(みやぎみき)さんは香川・高松出身で、もともとはアートで地域活性化を試みるNPO・前島アートセンターの職員だった。美術展の企画やギャラリーの管理に携わるさなか、「沖縄には芸大があるのに、美術を専門にする書店がない」と気づき、05年頃から美術の書店をやりたいと思うようになった。

当初は新刊書店も考えていたが、自分のペースで仕事をしたかったのと、アートに特化したかったこともあり、古書店をやろうと決めた。そして07年に言事堂を「いきなり始めてしまった」と語った。

一見カフェにも見える店内には、「NO Kosho NO LIFE」という力強いスローガン(?)が掲げられている。店を始めた当初は、美術を学んでいた学生時代の仲間が送ってくれた本や「せどり」(同業者から古書を仕入れること)などで集めてきていた。それが現在は県外にも常連がいる、目利きの店に成長した。

店に立ち寄るのは地元の人と観光客が半々だが、ずっと棚にあった本が売れた時は「嬉しいけれど切なくもなる」と宮城さんは笑った。

『王様のねこ』のイラストを描いた茂木淳子さん(左)と宮城さん

鰹節店の看板と沖縄関連本が同じ目線上に

言事堂から国際通りを目指して市場中央通りを歩く。すると土産物や洋服が吊るされているアーケード沿いに、市場の古本屋ウララが見えてきた。ウララはジュンク堂書店那覇店のスタッフだった宇田智子（うだともこ）さんが２０１１年11月に、とくふく堂という古書店を引き継いで始めた店だ。

牧志の公設市場（現在リニューアル中）にほど近いアーケード街にあるウララは、沖縄旅行ついでに目指してくる観光客も多い。宇田さんの著書の『那覇の市場で古本屋』（ボーダーインク）や『本屋になりたい』（筑摩書房）が韓国や台湾でも翻訳出版されていることから、海外から訪れる人もいるほどだ。

1・5坪、すなわちわずか3畳の店の左半分にはレジスペースがあり、フクロウのイラストとともに店名が黒板に描かれていた。沖縄関連本が並ぶ隙間をぬって奥に進んでいくと、フクロウにちなんだ本とフクロウ（の、ぬいぐるみ）が飾られていた。通りに視線を移すと、沖縄にちなんだ本の横に「玉城鰹節店（たまきかつおぶしてん）」の看板が見える。

行き交う人たちも自然に足を止め、店前の本のタイトルをひとつひとつチェックしていく。店内に足を踏みいれ、何分もじっと棚を眺め続ける年配男性の姿もあった。確かに小さな店だけど、無視して通り過ぎることはできない。そしてレジに座る宇田さんも、まるで店の一部であるかのように溶け込んでいる。なんだか磁石のよう

大きなフクロウのイラストが目立つ市場の古本屋ウララ

な魅力がある、そんな空間だった。

本を読みながら一杯飲んでカラオケも？

ウララから離れて歩いているさなか、「パンの木」というベーカリーが目についたので入ってみた。するとパンと並んで、古本が置かれていた。値段もついている。えっ？

思わずレジ前に立っていた仲本清子さんに「これ、売り物ですか？」と聞いてしまった。気になる本や、忙しくて見に行けない映画のノベライズを読んだのち、良い状態のうちに店に並べていると仲本さんが答えた。もはや書店でも古書店でもない、パンの店で古本を売るとは……。

でもベーカリーだからって、パンやお菓子以外売ってはいけないという決まりはない。沖縄の書店と書店以外の「本プラス何か」を、意外な場所でも感じることができた。

その「プラス何か」の究極と言えるのが、首里にあるおきなわ堂だろう。だって併設されているのは、カラオケパブなのだから。店主の金城牧子さんによると店自体は2007年頃に始めたが、16年に弟さんが手がけているカラオケパブと兼用の場所に移転したそうだ。

店内にはテーブルとイスがあり、さながらブックカフェの様相を呈している（とはいえ昼間はパブはやっていないが）。一段まるごと大

市場に溶け込む宇田さん

本＋パブ＝おきなわ堂の金城さん

田昌秀氏の著書が置いてあるなど、沖縄関連本をメインで扱っている。夜はどんな雰囲気なのだろう？　色々と想像をかきたてられる「ブックパブ」だった。

古書店同士が本を交換して在庫を融通

那覇市内からバスで約1時間。次に目指したのは沖縄市のコザすばる書房だ。

「ここが沖縄の古本屋の北限じゃないかな」と教えてくれた店主の下地喜美江さんは、宮古島出身。石垣島の中学校と那覇の高校に通ったのち、ベトナム戦争終結前の1974年にコザにやってきた。

「ノンポリの不良学生だったけど、コザに来たら基地問題と向き合うことになって」と語る下地さんは、古書店を32年間続けるかたわら、2012年頃から高江のヘリパッド建設反対運動にもコミットしている。

店内には沖縄関連本はもちろんのこと、ドストエフスキーや「ウテナ雪印クリーム」と書かれた謎の冊子、売り物のやちむん（陶器）や非売品であろう貝殻まであり、さながら宝探しのようだ。下地さんも「時々どこに何があるか分からなくなる」と笑うが、自身にとって一番落ち着く場だという。

本は買取や交換市で仕入れているが、たまにカンパされることもある。ジャンルがオールマイティなのは、それも理由なのかもしれない。

と、ここでちょっとだけ交換市の解説を。全沖縄古書籍商組合のメンバーの書店は、

コザすばる書房の下地さん

2カ月おきに「市会」と呼ばれる交換市を開催している。ある店で売れなくても、別の店ならそれを欲しいと思ってそうな顧客がついていることもあるから、在庫を交換して品揃えの充実をはかることは、理にかなっている。講を作って互いを支えあう「もやい」や相互扶助の「ゆいまーる」の精神が根付く、沖縄の古書店らしいシステムなのだ。

隔てのない交流が生まれた書店が、かつてあった

下地さんに別れを告げて那覇方面に向かうバスに、ほんの10分ほど乗車する。すると国道330号線沿いに、アメリカのショッピングモールを彷彿させる白い建物群が見えてくる。このプラザハウスショッピングセンターは1954年、米軍関係者のために作られた。今では地域の住民や観光客、誰でもウェルカムだが、一角にアメリカを強く感じさせる場所がある。それがタトルブックストアだ。

40代以上の首都圏在住者なら「タトル」と聞けば、かつて東京・神保町にあった洋書店のタトル商会（2006年閉店）を思い出す人もいることだろう。1948年にチャールズ・E・タトル氏により設立されたタトルは、書店や出版などを通じて日本に沢山の洋書を紹介してきた。神保町同様、タトル氏の意を受け継ぐ洋書専門店（沖縄関連本など、日本語書籍も一部あり）として、53年に浦添市の港川という地区に生まれた（のちにプラザハウス内に移転）。

迎えてくれたのは大学2年生の時にアルバイトを始め、卒業と

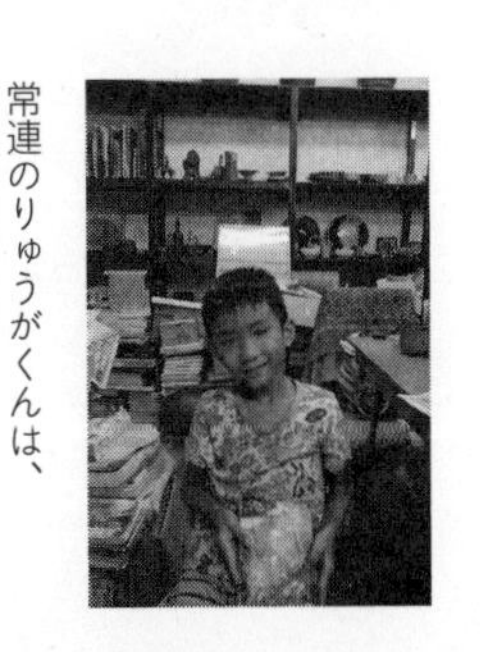
常連のりゅうがくんは、植物図鑑が大好き

山城幸子さん（右）と松田晴奈さん（左）

同時に社員になった店長の山城幸子さんだった。

「元々本は好きだったけれど英語は嫌いだった」山城さんは、宣教師をしていたおばの影響で、徐々に英語に親しみを感じるようになった。それがアルバイトのきっかけだという。

「今は英語は大好き。語学の本をメインに他店にない本をセレクトしているから、お客さんが『普通の本屋と違うね』と言ってくれるのが嬉しくて。国外に行ってしまったアメリカ軍関係者の中には、沖縄に戻ってくると顔を出してくれる人もいます。『全然変わらないね』と言ってくれるのを聞くのも、とても嬉しいですね」と語る山城さんの笑顔は、本が隔てのない交流を生み出してくれることを物語っていた。

しばらく店に滞在していると、女性ふたり組がやってきた。彼女たちが真剣に見つめるペーパーバックや雑貨は、確かに見ているとワクワクするものばかり。雑貨は山城さんが選んで買い付けていると教えてくれた。

この日は山城さんと、17年2月からアルバイトを始めた松田晴奈さんが店にいたので、松田さんが今気に入っている本を教えてもらって撮影。英語がそう得意ではないけれど、また来たいと思える空気に溢れていた。

しかしその願いは、もう叶わない。18年5月にタトルブックストア自体の店舗はなくなってしまったのだ。ファッションやアート系の本とペーパーバックは、プラザハウス内のライカムアンソロポロジーというアートスペースに、子ども向けの本と日本関連と郷土本は別フロアにと分散して置かれているものの、雑誌や語学教材の扱いはなくなっている。そして山城さんは引退し、松田さんも店を辞めたと聞いた。

タトルの店内は、ポップでアメリカンな空間だった

なぜ一度訪問してそれっきりになっていたのか。後悔しても戻ることはできない。キラキラした瞳で本や本屋について語ってくださったすべての人たちの安寧を願うとともに、離島の本屋をめぐる旅はまだまだ続く。

言事堂　沖縄県那覇市壺屋1-4-4　1F左
古本屋ウララ　沖縄県那覇市牧志3-3-1
パンの木　沖縄県那覇市牧志3-4-7
おきなわ堂　沖縄県那覇市首里石嶺町3-8-1
コザすばる書房　沖縄県沖縄市胡屋4-22-9　1F

沖縄の友人オススメ、首里にある「御殿山（うどぅん）」の豪華な日替わり定食

言事堂は2020年7月10日、那覇市壺屋に移転して再オープンした。程なくして沖縄県の緊急事態宣言が出て、コロナ感染予防のために予約制にしたことを宮城さんが教えてくれた。現状のベストな選択だと思う。とはいえ、ふらりと立ち寄れる日常が戻ることを、願ってやまない（と書いたが、9月より通常営業を再開した）。

市場の古本屋ウララの宇田さんは、周辺の再開発もあり未来を見据えて『通り会』の活動に力を入れている。そして「隣の洋服屋さんが閉店したので、そこも借りることにしました。ほんの1・5坪ですが倍増です」と、ワクワクすることを教えてくれた。

インバウンドの人や観光客が減ったどころか、地元の人も外出を控える中、パンの木の仲本さんも「なかなか大変です」と言う。でもお元気そうな声に触れて、ほっとする。

おきなわ堂は何度か連絡したけれどなかなかつながらず、金城さんの携帯に電話してみた。お店は不定期営業になったけれど、それは「孫の面倒を見たりと忙しいから」だと教えてくれた。長く続けるコツは、マイペースなのかもしれない。

「ずっと同じように店を続けてます」と言ったすばる堂の下地さんは、次はいつ沖縄に行けるのかと嘆く私に「こんな時だからこそ、オンラインで繋がっていきましょう」と言葉をかけてくれた。

すぐには会えなくても、縁はしっかり存在している。これも『離島の本屋』の取材が私にもたらしてくれた、幸せのひとつなのだと実感……。

漫画雑誌に代わり、石垣島の書店が広める島の歴史

石垣島（沖縄県）

離島の本屋にはいつも「本プラス何か」がある。2019年5月に訪れた石垣島の「タウンパルやまだ」にも、その「何か」はしっかりと存在していた。

ワシの羽からミドリムシになった商店街

個人的には15年ぶりの石垣島だった。そんな私に対して空港からの路線バスの車窓は、見慣れない景色を映し出していた。聞けば空港は2013年に移転し、以前はなかった2000メートルの滑走路を擁した「南ぬ島（ぱいぬしま） 石垣空港」としてリニューアルしたのだそうだ。

約30分かけて到着した島の商店街には、「ユーグレナモール」という看板が掲げられていた。えっあのミドリムシの……？

「2010年までは、あやぱに（八重山の古民謡にちなんだ、ワシの羽のこと）モールだったんですけど、ネーミングライツで名前が変わ

隣のゆいロードシアターは「結道シアター」とも

●石垣島

ったんですよ」

そう教えてくれたのは石垣島の書店「タウンパルやまだ」の3代目店長・山田克巳(かつみ)さんだ。現在はユーグレナモールの一角にあるが、元々は近くの大川という地区で、自宅を改装して店を始めたそうだ。

創業は1952年。克巳さんの祖父にあたる山田武三(たけぞう)さんが、那覇の書店から雑誌を仕入れるようになった。当時の沖縄は「アメリカゆー(アメリカ統治下)」。本土から物資を仕入れるためには、LC(信用状)が必要不可欠だった。街の小売店は、LCを持つ大手商店に商品を卸してもらうのが一般的だった。武三さんもやはり那覇の文具店から文具も仕入れるようになり、山田書店は書籍&文具店となった。

街の仲間で「タウンパル」

取次との直接取引になり、定価で本を販売できるようになったのは本土復帰後の1980年のこと。文具と書籍はそれぞれ別の店で販売していたが、2000年に統合して「タウンパルやまだ」となり、ユーグレナモールの一角に新装開店した。

元々スーパー&映画館があった建物を利用しているそうで、映画館閉鎖後、長年手つかずだった3階は、18年夏から「ゆいロードシアター」になっている(ちなみにこの日上映していた映画は「金子文子と朴烈」。列島を席巻したアナキスト旋風は、ぱいかじとなって南の島にも届いていたようだ)。

森林をイメージしたレイアウトに

しかし店名の〝タウンパル〟ってどういう意味なのだろう？　なんとなく電気屋さんをほうふつとしてしまう。克巳さんいわく「皆で一緒に考えたんですけど、タウン（街）に〝仲間〟を意味するパルをつけたんです」。山田書店はかつて、サンリオグッズを扱う「サンリオショップ　アミ」も手掛けていたが、そういえば「アミ」もフランス語で友人という意味だ。

30年超えベテランと87歳のカリスマ

広い店内には雑誌と書籍、文具とＣＤがバランスよく並んでいる。ひっきりなしにお客さんがやってきては、お目当ての雑誌や文具を手に、レジを目指す姿が常に視界に入る。

「でもこの商店街は車を止める場所が少ないこともあり、石垣の消費の中心は今は郊外なんです」

そう語った克巳さんは、子どもの頃から「自分は店を継ぐものだと、親に洗脳されていた」ことから、大学進学のために上京したが、卒業後はすぐに島に戻り、店の手伝いを始めた。大学時代は東京の経堂にかつてあった「キリン堂」という書店でアルバイトして「棚作りから何まで、すべて学んだ」と言うほど、書店から片時も離れたことがない人生だ。

でも石垣島で本の傍らにずっといるのは、彼に限らない。同店には30年以上勤務しているベテラン書店員もいる。そして3代続いている同店のカリスマは、87歳になる母・山田美智子さんだ。

山田〝仲良し〟親子

石垣生まれの石垣育ちの美智子さんは出納管理などを担当しているが、今でも時々店頭に顔を出す。克巳さんと美智子さんは、自他ともに認める仲良し親子。その秘訣は「息子の好きにさせていること」(美智子さん)なのだそうだ。

克巳さんは「80年代は週刊少年ジャンプが毎週1000冊以上売れていた。当時は島内にコンビニがない時代だったから、『ついで買い』する人のために、てんぷら店や弁当屋にも週刊少年ジャンプを卸していた」と振り返る。しかし今では毎週30冊程度にとどまっている。それでも「文化の発信地」としての自負があるから、「一寸先は闇だから安心できない」気持ちを持ちつつ、店を続けていきたいと語る。

右や左を語る前に、まずは「知ること」から

雑誌やマンガに変わって島民の注目を集めているのが、沖縄や地元・八重山地方をテーマにした本だ。NPO法人の北九州・魚部(ぎょぶ)が編集した『西表島自然観』という、西表島の自然や生き物、島の人の話をまとめた本は、600冊も売れた。そして『八重山を学ぶ――八重山の自然・歴史・文化』(『八重山を学ぶ』刊行委員会)に至っては、1000冊以上が島の人の手に渡った。

『八重山を学ぶ』はもともと、中学校の副読本として作られたものだ。教師や八重山史研究家などが執筆したこの本に、南京事件や慰安所についての記述があることを理由に、石垣市教育委員会は17年から発刊と配布を取りやめている。個人的には「だからこそ配布すべきなのに」と強く思うが。

しかし「八重山の歴史が体系的に学べるのだから、それならばたくさんの人に読ん

『八重山を学ぶ』はタウンパルの大ベストセラー

でもらいたい」と、書店売りの本として生まれ変わった。その結果、島のベストセラーとなった(本当のことは、隠せないものなのだ)。

歴史はもちろんのこと、自然や生活文化などを網羅している同書は、確かに中学生に独占させておくのはもったいない。克巳さんも「思想を語るには、まずは学ばなくては」と考えている。それゆえなのか、店でも目立つ場所に陳列されている。

タウンパルやまだの閉店は夜8時。だが閉店後は、別の顔があらわれる。オーディオからジャズが流れる空間に生まれ変わり、音楽好きな人たちを誘蛾灯のように惹きつけているのだ。

マイルス・デイヴィスやビル・エヴァンスなど、克巳さんお気に入りのアーティストのナンバーを聴きたい人なら、旅行者でもウェルカム。ほぼ毎日鑑賞しているそうなので、通りかかって音が聴こえてきたら足を踏み入れて欲しい。偶然の旅人から一歩踏み込んだ、濃厚な「島の時間」をきっと過ごせるはずだから。

タウンパルやまだ　沖縄県石垣市大川204 丸善屋ビル1F

店内に鎮座するナイスなスピーカー

「緊急事態宣言中に店を閉めていたんですけれど、そこからなかなか客足が回復しません。書籍以外でおぎなえるのが救いですが、苦戦しています」

全国から訪れる人が減ってしまったことや、島民もあまり出歩かないこともあって、タウンパルやまだも大変な様子がうかがえた。本当にコロナが憎い。でも美智子さんは今日もお店にいらっしゃることと、山田さんの「お待ちしています」という言葉を耳にしたことで、希望を持とうと思った。必ずまた、仲良し親子と再会できる日が来ると信じている。

島散策のついでに海をパチリ

古書店事情
人と店に歴史あり

沖縄本島（沖縄県）

「へー、離島の本屋を取材してるんですか。じゃああそこに行ってみるといいですよ。え？　古本屋はダメ？　そりゃ残念」

離島の本屋を取材し、記事をまとめていると話した際に、何人かから同じ本屋を勧められたことがある。しかし『ＬＯＶＥ書店』での連載は新刊書店に限定されているので、古本屋を紹介することはできなかった。そうこうしているうちに「あそこ＝宮古島の麻姑山（まこさん）書房」は閉店したと、人づてに聞いた。

宮古島にあった幻の書店

かつて宮古島にあった麻姑山書房は、建物を木々が覆いつくし、さながらジャングルの中の一軒家といった店だった。沖縄関連本だけではなく、様々な本が所狭しと並んでいて、外観だけでなく店内もジャングルのようだった、と聞いている（行ったことがないので伝聞ですみません）。

宮古島の「迷所」として知られた店だっただけに、一度も行けずになくなってしまったことをひたすら後悔していた。と、そんな話をボーダーインクの喜納えりかさんにすると「麻姑山書店、那覇に移転したんですよ」と教えてくれた。

なーにー！

これは行かねばと思い、喜納さんとともに麻姑山書房がある古島地区を目指した。

扉の向こうに広がる、本の森

喜納さんも宮古時代には訪ねたことがないというが、社内の宮古出身の方に聞いてもらったところ、

「1980年代のはじめ頃の麻姑山書房は宮古のまちなかメインストリート（西里大通りとか）からすこし外れた場所に建っていたんですが、建物の周囲はうっそうとした木でおおわれていて、入り口も狭くて、入るのにかなりの勇気がいった」

「店内は本でギューギューで、背丈よりも上までうずたかく積まれており、薄暗いし古本のにおいに満ち満ちて、〝完全なる異世界〟だった」そうで、宮古在住の詩人や文学者、宮古研究者にとっては、研究書や専門書などを手に入れることのできる貴重な書店でもあった。

「だから移転することになって、相当ガッカリしたと聞きました。皆さんが今どこでレアな専門書を手に入れているのか気がかりです」（喜納さん）

そんな話をしていると、首里城にほど近い古島地区に着いた。静かな住宅街の細

完全に個人宅の
ニュー麻姑山書房

い道沿いにある家の前に、「本」と書いた看板が出ている。

閉じられた玄関扉にプチプチビニールで「古本屋　営業中」「インターフォンを押してください」、さらに「赤川次郎のみオール100円」とも書かれている。えっここ、完全に個人のおうちだよね……？

インターフォンを押すとドアが開き、店主の田中保一（やすかず）さんが迎えてくれた。靴を脱いで中に入ると、部屋を本が埋め尽くしていた。本棚と机以外の家具が一切ない家、という風情だ。押し入れやクローゼットと思しき場所にも、びっしりと本が置かれている。

田中さんによれば、宮古島の店舗は道路拡張に伴い、移転せざるを得なくなってしまった。だが島内には親族がすでになく、子どもは那覇に住んでいて、店を引き継いでくれる人もいない。そこで那覇市内に引っ越し、自宅兼店舗にて営業を再開したという。家に本しかないとこうなるのかなあ……と、なんとなく考えてしまった。

「今は郷土史関係がメインで、コンテナ6台分を持ってきたけれど、これでも10分の1しか持ってこられなかった。残りは宮古島の倉庫に置いていて。赤川次郎は在庫が豊富にあるから、100円で売っています」

そんな話をしていると、2階から妻の雅子さんが降りてきた。

中学生が中国の詩人の本を探しに

「若い頃は京都にいたのだけど、両親が年を取ったこともあり、島で本屋をやりたいと思ったんです。でも色々な人に相談したら『難しいのではないか』と言われて」

本当にインターフォンを押していいのか一瞬考える

本棚と机以外の家具がない〝家〟

保一さんが京都にいた頃、職場の近くに「かわいい書房」という古本屋があり、昼休みによく通っていた。ある時思いきって古本屋をやりたいと店主に話すと、京都の古書組合を紹介してくれただけではなく、どんな本を置くかを教えてくれ、さらに本を提供してくれた。それで店が始まった。

「そういう縁があったので、本島は土地が高いし本屋を続けられる年ではないと思ったんですけど」、夫婦2人で店を続けることにしたそうだ。

店内は雑然としているように見えて、ジャンル別にきっちり並んでいる。棚を項目別に分類するのは雅子さんの得意分野で、「売れたら補充するのが好き」と語った。

一見さんがふらっと立ち寄るというより、インターネットなどで聞きつけ、店を目指してくる客が圧倒的に多い。ある時台湾から来た客が、「イラストレーター・深(ふか)津(つ)真也の画集『ひなたひなた』を探している」と言った。店に在庫はないと思っていたが、探したら見つかった。たまにこういうことがある、と保一さんは笑う。

「最近では中学生が来て、すごい本を買っていったんですよ」

保一さんが見せてくれたのは、目加田誠(めかだまこと)が書いた『屈原(くつげん)』という岩波新書だった。屈原は楚時代の政治家で詩人なのだが、実はこの瞬間まで私は屈原のことを名前すら知らなかった。確かにすごい……。彼は李白や、辛亥革命についての本も買っていったとか。中国の歴史に興味があるのね。

来客がない時は2階で韓流ドラマを見て、チャイムが鳴ったら降りていく。そんな2人が目下、気にしているのは、宮古島のプレハブ倉庫に残してきた在庫のこと。2018年の台風で雨どいが飛んで行ってしまったけれど、もう2年行けていない。

割引きしてくれることもある

そしてかつての店舗を描いた絵を見せてくれながら「寂しい」とつぶやいていたのが印象的だった。

　とても仲良しで穏やかに見えるお二人だが、宮古時代を教えてくれた方によれば、「お父さんもかつてはちょっとコワくて、宮古の中学生にかなり恐れられていた」とか……。人にも店にも歴史ありなのだ。

　探していた大城立裕（おおしろたつひろ）の小説をレジに持っていくと、1000円と書いてあったがまけてくれた。店内に「付値より安くできる本がたくさんあります」とあったので、ちょっと期待はしていた。とはいえ全てをまけてくれる訳ではないので、そこは田中さんご夫婦次第だ。

かつての店を描いた絵を見せてくれた

イラストも描けば古本も売る

　本のジャングルを抜けてもう一軒訪ねることにしたのは、浦添市にある小雨堂（こさめどう）だった。麻姑山書房から車で10分程度の場所にあって、くまとカエルのゆるっとした看板が目に付いた。

　麻姑山書房と同じく、やはり靴を脱いであがる。と、レジ前にはネコがメインの動物フィギュアが並び、本もあるけれどフィギュアやトイも売られている。おにく店長こと新垣英樹（あらかきひでき）さんと、妻のミキシズさんの趣味が存分に活かされた空間に見える。

　新垣さんは沖縄出身で、ミキシズさんは兵庫県の生まれだ。そんな2人が出会ったのは、漫画家の高橋葉介（たかはしようすけ）さんの福岡オフ会のこと。2001年に結婚し、12年に〝お

かわいいイラストが出迎える、浦添の小雨堂

うち古本屋〝を名乗る小雨堂をオープンさせた。

「沖縄の古本屋の中でも、ちゃんとしていないことにかけてはうちが一番」と言うが、沖縄関連本から絵本や児童書まで、品揃えはなかなかだ。サイババの本も200円で売られている。そして他店と違うところは、ミキシズさんがイラストレーター&切り絵作家として活動し、ボーダーインクから本も出していることだ。

なかでも沖縄のママたちのあるあるネタをまとめた『まんが琉球こどもずかん』は、笑いなくては読めない1冊になっている。34歳の「おばあちゃん」（ママは17歳）や、父親の違う兄弟がいつの間にかできていたなど、見ようによっては沖縄の負の側面とも言えるエピソードにも触れている。が、明るく笑えてしまうのは、ミキシズさんの筆力によるものだろう。

古本屋に新刊ではなく、新刊書店に古本屋が

2軒を訪ねて那覇市街に戻った私はジュンク堂書店那覇店とリブロリウボウブックセンター店に立ち寄った。ジュンク堂では1階のイベントスペースに、榕樹(ようじゅ)書林〈☞63ページ〉の武石和実さんが座っていた。「出張」榕樹書林をしているとのことで、チェーン系新刊書店の中に古書店がイベント出店していたのだ。こんなコラボは、本土の書店ではそうお目にかかれるものではない。棚を眺めてみると、埴谷雄高の9万円の『闇のなかの黒い馬』や芥川龍之介の初版本など、希少な本が並んでいた。

その体型とお肉好きなことで、ミキシズさんに命名された、おにく店長

同じ頃にリブロでは、古書店による即売イベント「リブロ古書フェス」が開催されていた。小雨堂をはじめ、市場の古本屋ウララ〈☞88ページ〉、くじらブックス〈☞69ページ〉、ちはや書房〈☞81ページ〉、言事堂〈☞86ページ〉と、今まで訪ねた古書店がワゴン出店していたのだ（あともう1軒出店していたダムダムブックスは、ネット販売オンリーの書店）。もうこうなると「新刊か古本か」というこだわり自体が、意味を持たないことのように思えてくる。読みたい本がある本屋が、その人にとっての「いい本屋」なのかもしれない。

ストイックに本を追及する店もあれば、「本プラス何か」が楽しめる店もある。「本屋」という一言ではとてもくくれない世界が、沖縄の書店で繰り広げられている。数軒を見ただけで、その実像はとてもわかるものではない。それに、なくなる店がある一方で生まれる店もある。「これで沖縄の取材は終わり」では、決してないようだ。

麻姑山書房　沖縄県那覇市古島2-7-4

小雨堂　沖縄県浦添市沢岻2-14-2 1F

ミキシズさんのイラストが店内のあちこちに

宮古島の名物と言えば、宮古島まもる君&まる子ちゃん

麻姑山書房に電話すると、雅子さんが電話に出られた。保一さんはこの時不在だったが、店はお二人で続けていると教えてくれた。これからも訪ねる人を、本のジャングルにぜひ引き込んで欲しい。

小雨堂は月金土日の週4営業となり、営業時間も「だいたいお昼~だいたい夕方」になったとのことなので、目指す人はその時間を狙って欲しい。そしてミキシズさんは『沖縄語で語る「竹取物語」竹取やー御主前ぬ物語』(琉球新報社)や『おきなわの星』(ボーダーインク)のイラストを担当するなど、バリバリ活躍中の様子が伝わってきて、とてもワクワクさせられている。

人々が一冊と出合うべく島のあちこちに本を届ける

屋久島（鹿児島県）

島を訪ねるたびにそれまで知らなかった本と出合ってきた。でも今回は逆に、1冊の本の存在によって、訪ねる島を決めた。

その本とは山尾三省の『火を焚きなさい』（野草社）。1938年に東京に生まれ、77年に屋久島に移住した彼が紡ぐ詩には空と海と大地と、そして人々の暮らしがちりばめられている。素朴なのに豊饒な言葉に触れていると、普段詩をあまり読まない私のまぶたにも、柔らかい景色が浮かび上がってきた。

「そうだ、屋久島行こう」

ということで屋久島に着くと、温かな風と雨粒が全身にまとわりついた。12月の東京は気温5度だったけれど、屋久島は15度。ダウンを着てきたことを後悔しながら、宮之浦地区にある書泉フローラに向かった。

しかしなんでフローラ……？

「神田神保町の書泉グランデと、その時読んでいた本に出てきた花の女神フローラからいただいたんです」

店主の川崎さん夫妻

年季が入った、屋久島の書泉フローラの外観

そう語る店主の川崎幹雄さんは、屋久島生まれの70歳。この店は「29歳か30歳ぐらい」で始めた。離島の本屋は2代目、3代目と家族で継承する店が多いけれど、川崎さんの父はサラリーマン。「それまで東京に住んでいたけれど本が好きだった」から、島に帰る前に東京・荒川区にある南進堂(新刊書店)と神保町の山田書店(古書店)で、それぞれ1年間修業して店を作った。書泉を店名につけたのは、かつての書泉グランデが「棚が低くてゆったり本を選べるところが好きだった」ことが理由だ。

本を売るかたわら果物や野菜栽培、養蜂までを手掛ける川崎さん。だから店頭にはとれたて野菜や、屋久杉を使ったお土産ものが並んでいる。屋久杉グッズは友人が作っているものだが、娘さんご夫婦は栃木県の益子で陶芸作家をしているそうだ。

店番は東北出身の妻・君子さんと幹雄さんが交代でしている。屋久島本は旅行ガイドから児童文学まで置いているが、山尾三省の本は実弟の山尾明彦さんが直接、店に並べているのだとか。そして川崎さんは屋久島の南方新社や宮崎県の出版社・鉱脈社の本をはじめ単行本や小説など、気になる本は配本を待つのではなく直接注文している。「ピタっとハマって売れると気持ちがいい」と語る川崎さんは、書店主でありバイヤーでもあるのだ。

「面白いと思う本は大手出版社のものとは限らないし、お客さんから注文を受けてから発注していると2週間もかかってしまうから。それでも注文が来ることもあるので『よく待っていてくれるな』と恐縮することもあります」

気になる売り上げは「店を開いてからずっと苦しく」て、以前は観光客に売れた山岳ガイドも今はスマホで情報が得られるし、子どもたちの人気は映画やドラマの原

フレッシュ野菜も一緒に買える

山尾本は作家の弟の山尾明彦さんが並べる

作本に集中してしまい、「まだ見ぬ本との出会い」に消極的だと語った。とはいえ川崎さんはフローラだけでなく、屋久島観光センターやスーパーの「ヤクデン」、屋久島ふるさと市場「島の恵み館」や宮之浦港フェリーターミナルなど、あちこちに本を置いてもらっている。椋鳩十の『ヤクザル大王』は残念ながら動きはないものの、島内や島外を行き来する人たちが、本に触れる機会作りに前向きだ。

　翌日。やはり雨がザカザカ降るなか川崎さんは、車で約40分かかる平内地区の八幡小学校に、本を届けに向かった。『はだしのゲン』などナイスな品揃えは、学校から注文があったものだ。川崎さんと2人で段ボールを図書室に運ぶと、〝図書館の先生〟の今掛美子さんが待っていた。今掛さんは生徒数約60名の八幡小のほか、別の小中2校でも司書をしている。島には熱心に本を読む子どもたちがいると聞き、嬉しくなる。そしてこの連載を始めて以来初めて、「配達を手伝う」という仕事に立ち会えたことにも気づいた。まさに修行15年目にして私は、ただの旅人から一歩踏み込むことができたのだ。

　ヤクザルに出会えた程度で自然はあまり味わえなかったけれど、大きな喜びを得ることができたのは、山尾三省のおかげか川崎さんの人柄によるものか、はたまた屋久島が「神の島」と呼ばれるからか。答えはわからないけれど「次回はもっとゆっくりしたい」。そう思える島との出会いが、また一つ増えた。

書泉フローラ　鹿児島県熊毛郡屋久島町宮之浦109-イ

集団ながらもおとなしかったヤクザル

集落を移動すると天気も変わる

3つの学校の司書を務める今掛さん

屋久島に、なくなった本屋の主人を訪ねる

前述のとおり屋久島を目指したきっかけは、詩人の山尾三省の『火を焚きなさい』（野草社）という本を手にしたことだった。山尾が描く素朴で豊饒な風景に惹かれ、屋久島の書泉フローラを訪問したのだ。東京の新刊書店と古書店で修行して島で本屋を始めた川崎幹雄さんは野菜栽培や養蜂も手掛けていた。

しかし訪ねてから7カ月後の2019年7月、書泉フローラは閉店してしまった。私はそのことをSNSの友人の投稿から知り、すぐに川崎さんに連絡をした。すると取材当時も語っていた「店を開いてからずっと苦しい」売り上げがここ数年さらに落ち込んでいること、さらに妻の君子さんの体調が思わしくないことから、閉店を決めたと語った。

「また会いに行かせてください」

そう伝えてから4カ月経った2019年12月、私は再び屋久島を目指した。

1年前に訪ねた時は雨がザカザカ降っていたが、この日は曇り。空港に到着すると民宿の主人が迎えてくれていた。出身は千葉でもうすぐ孫が生まれる、といった話をしているうちに宿に到着。荷物を置いて川崎さんに連絡をすると、民宿の前まで来てくれた。以前は店に行けば良かったけれど、

機内から見えた薩摩半島の開聞岳

今は訪ねる場所がないからだ。

お茶でも飲みながら話そうとしたが、喫茶を掲げている場所はどこもクローズしていた。ランチはやっていても、アイドルタイムは客数が読めないから閉めてしまう店が多いそうだ。

「旅行客に『屋久島はコーヒーが飲めるところがないですよね』と言われるんですよ」と、川崎さんは少し笑った。結局、ご自宅にお邪魔することになってしまった。

「40年やっていたけれど、あっという間でしたね」

グアバやいちじく、グレープフルーツなどを挟んで、幹雄さんと妻の君子さんと向かい合った。目が大好物のフルーツにくぎ付けになってしまったことを川崎さんご夫妻にさとられないよう、冷静に上品に口に運ぶ。

「閉店するときは驚かれましたけど、2019年の年明けぐらいから島内にアナウンスしていたので、在庫処分に困ることはありませんでした。返品できなかった本はないし、本棚も貰い手がついて。もう毎月の支払いのことを考えなくていいから、肩の荷が下りて楽になりました。役割を終えました」

現在屋久島内には1軒書店が残っているものの、多くの島民がネットで注文をしているのが現状だと語った。

「店を閉める時に『またひとつ、島の文化の火が消えた』と言っていた人もいま

グァバ、いちじく、グレープフルーツ……、ああ幸せ

したが、買う方は便利さを求めてしまいますよね。本屋は本という1つの商品で成り立つ商売だったけれど、今はそういう店はなくなりましたよね。その最後が本屋だったのかもしれない」(幹雄さん)
「時代の流れとしては仕方ないけれど、しばらく経ったら書店の良さが見直されるようになるのかな」(君子さん)
幹雄さんは現在「やくすぎ屋」という屋久杉グッズの店で働いていて、君子さんは「体調は元に戻っていないけれど、認知症防止のためにあちこち飛び回っています」という。ご夫妻の「肩の荷が下りた」という言葉に含まれているものの重さを感じ、容易に返答ができなくなった。そこで来る時に気になっていた、庭にあった「あるもの」に話をふった。「あるもの」とは、本屋の店頭に置いてある雑誌用の什器。それが庭に転がっていたのだ。聞けば燃料の薪からシロアリをよけるための、置台の支えとして使っているそうだ。

広い庭には養蜂用の巣箱やポンカンの木、金魚が棲む池などがしつらえてある。そして家はかなりの高床式になっているが、これはシロアリ防止、風通し、物置きとして、屋久島ではめずらしいものではないと教えてくれた。
翌日もまた、川崎さんにお会いした。屋久島訪問のきっかけになった『火を焚きなさい』を書いた山尾三省の家と書斎の「愚角庵(ぐかくあん)」に行きたいと、図々しくもリクエストしていたのだ。

かつての雑誌ラックが……

山尾明彦さん

再び宮之浦地区にある民宿前で待ち合わせて、車を走らせること約40分。一湊白川という山あいの集落に向かううちに、スマホの電波がどんどん薄くなり、しまいには「圏外」に変わった。

圏外になっておよそ5分。どことなく幻想的な景色の向こうに愚角庵はあった。出迎えてくれたのは山尾三省の実弟、明彦さんご夫妻だ。かつて横須賀でライブハウスを経営していた明彦さんだが、今は愚角庵の管理などをしている。兄の詩集が出版されると書泉フローラに直接届けに行っていたのも、明彦さんだ。

「フローラがなくなって、寂しいね」

明彦さんはそう語りながら、愚角庵に灯りをともしてくれた。部屋には眼下を流れる川の音がごうごうと響き、時が止まっていないことを感じさせる。そんな中で散らかった机の上を眺めていたら、山尾三省が隠れているのではないかという錯覚にとらわれてしまった。

今もスマホの電波が薄い場所だが、明彦さんの子どもが学生の頃は道に電灯も少なく、下校が怖い程だったという。不便な場所だからこそ、豊かで美しい言葉が生まれるものなのか。尋ねてみたかったけれど、残念ながら主人はもうこの世にいない。

明彦さんご夫婦に別れを告げて、永田というウミガメの産卵地を見学したのち、フェリー乗り場に向かう。永田の集落で出会った川崎さんの知人の大牟田幸久さんから、収穫したばかりのポンカンをいただいてしまった。大牟田さんはウ

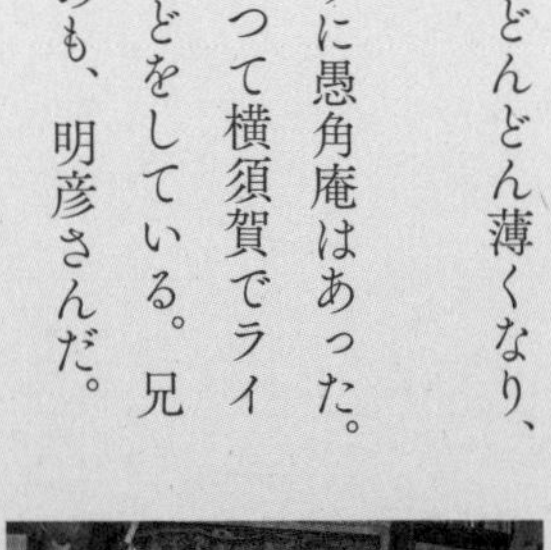

山尾三省の気配が残る愚角庵

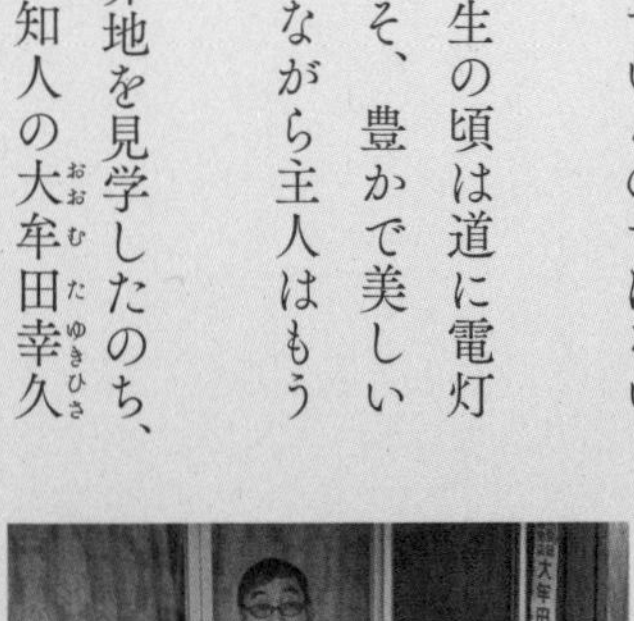

ウミガメを守る大牟田さん

ミガメ保護監視員もしていて、40年前から何度か屋久島に産卵のために上陸してきた、ジェーンというウミガメを保護、観察し続けてきたと語った。その模様は『ジェーン屋久島、伝説のアオウミガメ』(南方新社)にまとめられているので、興味がある方はぜひ。

取材では本屋に寄るだけで精いっぱいで、あまり島の人と話す時間を持てないまま戻ってくることばかりだった。しかし今回は、川崎さんのおかげであちこちで出会いに恵まれた。

本屋はなくなってしまったけれど、店主が繋いでくれた縁はこれからもきっとなくならないはず。私は川崎さんと別れた後、「またね」と言い残して島を離れた。

ウミガメの産卵地、永田浜にて

民宿の夕食でいただいたトビウオの唐揚げ

「離島の本屋」の遺伝子を探して

益子町（栃木県）

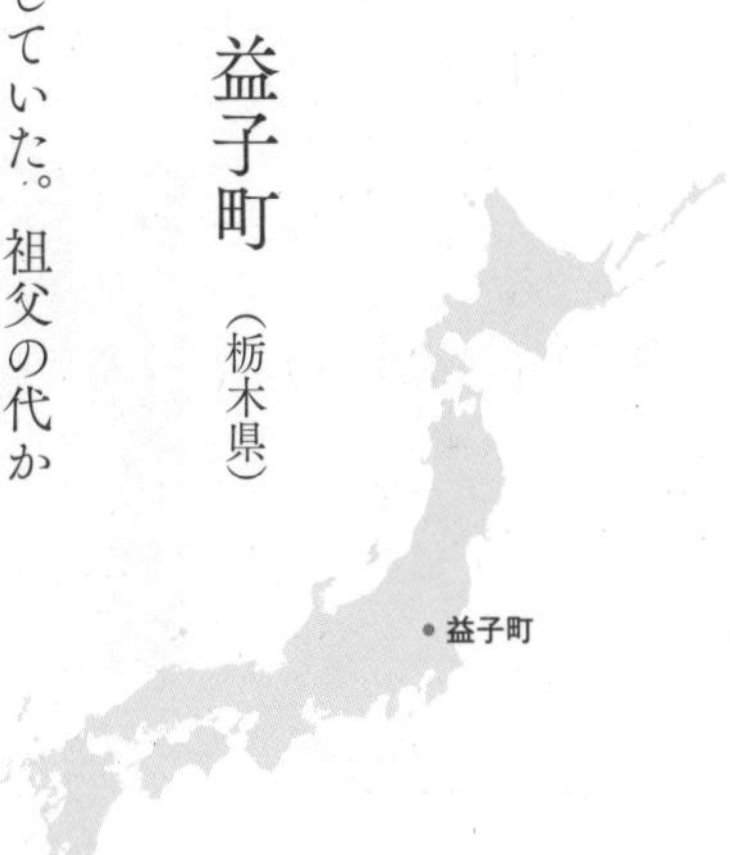

私が子どもの頃、実家は「田園」という名前の純喫茶を経営していた。祖父の代からあったその店には、ふかふかの絨毯に当時としては高級なソファがしつらえてあり、クラシック音楽が響いていた。昭和30年代には「コーヒーというものを飲みに来ました」と言って、靴を脱いで店に入ろうとするお客さんもいたと聞いている。

しかし私が小学生になる頃には店を閉め、両親は違う事業に本腰を入れ始めた。私もきょうだいも皆、店を継ぐつもりはなかった。だから私が独立する頃には完全に商売をやめた。

本屋を継がないという人生

家業ではない仕事をすると思っていた自分なのに、なぜか取材で本屋さんを訪れるたび、後継者について質問してきた。

よく考えたら本屋を継がない人生だって、あって当たり前なのだ。たとえば、屋久島にあった書泉フローラの川崎幹雄さん・君子さんご夫妻の娘は、栃木県益子町（ましこ）

益子町

で陶芸作家をしている。その川崎萌さんに、会ってみたいと思った。自分を棚にあげておきながら、本屋を継がなかった理由が少しだけ気になったからだ。

なので、『離島の本屋』なのに、海のない栃木県を目指すことになった。東京・秋葉原から「関東焼き物ライナー」という高速バスに乗って。

萌さんと夫の栗谷昌克さんは陶芸作家として、互いに作品を作り続けている。住まいは工房も兼ねていて、2人はここで日々、土と火と向き合っているのだ。

萌さんは、高校卒業後に鹿児島の大学に進学するものの、3年生の時に中退している。在学中に陶芸教室に通い始め、かけもちするうちに物足りなくなったことが理由だ。中退後は鹿児島市窯業所に入所し、修行をスタートさせたと教えてくれた。

「卒業したら何をするのかと、大学生の時はずっと悩んでいました。でもある時、鹿児島の北埠頭の広場でのフリーマーケットにマグカップを出品したら、売れたんです。その頃から『陶芸で暮らしていきたい』と思うようになりました。それで窯業所に入ってみたらとても厳しくて。半年ぐらいは菊練り（土の気泡を抜くための練り方）を、次の半年はタタラ作り（板状に粘土を伸ばすこと）と手びねり修行をしていました」

屋久島出身の川崎萌さん

益子への移住と独立

雑誌で益子焼のことを知り、3年間の修行後に益子を訪れた。ある窯元で「従業員

移住である。

約5年間、益子焼窯元で修行兼仕事を続けたが、2005年に独立し、30歳で自分の作品を作り始めた。ちなみに夫の栗谷さんも、先に独立した同じ窯元の仲間だった。

「2人で棚や細工場を作ったり、お風呂のタイルを貼ったりして始めました。屋久島でも両親は自分の畑で野菜や果物を育てたりと、自給自足のような生活をしていましたから」

萌さんの作品には雫や葉、花びらのように見えるモチーフが使われている。これはサイズ違いの、印を押す技法で作っている。そのほかにも手描きのドット模様など、連続するパターンが特徴だ。

「同じ模様をつなげていくことや、ひとつの作業に没頭するのが好きで。アイデアが浮かんでくるのでそれを手作業で作っているうちに、色々なものができあがってしまうんです」

萌さんには弟がいて、彼も現在は屋久島には住んでいないそうだ。萌さんは工房で制作に没頭している方が性に合っているからと、本屋を継ぐことは考えていなかった。一方の弟は「屋久島で漁師になろうかな」と言っていたこともあるそうだ。

「でも弟も『やっぱり本屋は厳しいかな』と言っていました。島内にも、本好きなお客さんはいました。でも雑誌やマンガはスーパー内のブックコーナーで買われる方も多かったし、子育てしていると本を買いに出るのは難しいと思います」

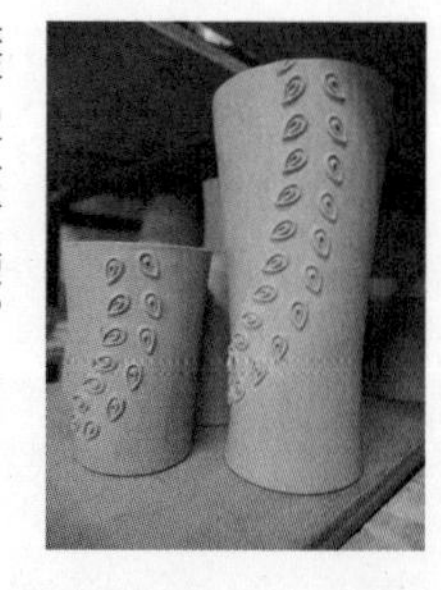

益子の原土を使っている萌さんによる焼き締めのカップ

本屋がなくなってもつながっていくもの

萌さんと栗谷さんの子どもは現在3歳で、元気いっぱいのお年頃だ。益子から屋久島に行くにはまず羽田空港に出るというひと仕事もあるゆえ、萌さんは1年以上帰省していない。もはや「ふるさとかなた」なのだろうか?

「これ、実家のポンカンの木を枝打ち（枯れ枝などを切って手入れをすること）して庭で燃やした灰を、約70%調合した釉薬で作ったんです」

差し出されたデザートボウルはまさに益子と、屋久島の遺伝子を受け継いだものだった。萌さんの実家の庭には確かに、枝を燃やすためのドラム缶が置かれていた。島で私が見ていたものがこうして、別の場所で別の形に生まれ変わっていたとは。本屋がなくなっても家族が離れた場所に行っても、つながりがなくならない限りは形を変えて、新しいものとして蘇ることができるようだ。

益子焼は人間国宝の濱田庄司（はまだしょうじ）が発展を尽くした。現在作り手（窯元・作家）は、約400軒もあるそうだ。それぞれ作風が違う益子焼作家の共通点は、益子で作っているということのみのように思える。

しかし作家たちは、ただバラバラに存在しているのではない。たとえば2011年の東日本大震災で倒壊した、濱田庄司記念益子参考館の登り窯を復活させ、有志の作品を持ち寄り焼き上げた「登り窯復活プロジェクト」には、益子焼だけでなく茨城の笠間焼作家も参加したことがある。横のつながりも、存在しているのだ。

他県からの移住者や、若手作家がいるのも特徴だ。萌さん夫婦の作家仲間のひと

参考館に遺されている濱田庄司の住まい

岩下さんの「古窯いわした」にある、関東最大級の登り窯

り岩下宗晶（いわしたむねあき）さんは今年33歳だが、代々続く窯元の6代目にあたり、益子らしさを取り入れた作品を手掛けている。さまざまな属性を持つ人が自由に発想している。それが益子焼と言えるのかもしれない。

東京へ帰るバスを待つために寄った益子駅の駅舎には、見晴らし台のような高いタワーがついていた。階段を登って塔から見た益子の空は青々としていて、屋久島で見た空となぜか似ている気がした。

離島や本屋から離れたとしても、記憶を大事にしている人がいる限り、離島の本屋の遺伝子は続いていく。そんなことを感じさせてくれたこの町にまたいつか訪れて、今度はじっくり窯元を巡りたいと思っている。

川崎萌さんのオフィシャルサイト
https://kawasaki-moe.info/

屋久島の遺伝子を受け継いだデザートボウル

ふたたび旅の途中で

本屋大賞PR誌『LOVE書店!』で連載している「離島の本屋」は文字数が限られていることもあり(だいたい1800字)、個人的な主張はなるべく避けるようにしてきた。日頃の私の物言いは、自分でもかなりきついのではないかと思うことがあるし、政治的なスタンスもハッキリしている。だがこの連載はあくまで本屋について書くものだから、どこかゆるさを残しておきたかったのもある。

沖縄本島になかなか取材に行けなかったのは、もしかしたらそれも理由だったのかもしれない。なぜなら沖縄は、美しい自然に囲まれたアジア有数のリゾート地だが、基地問題に揺れる島でもある。もちろん1人1人思いは違っていて、沖縄の人たちは決して一枚岩ではない。だから取材に行くことを決めた時、基地問題やその人の政治的な立ち位置に触れる質問は避けようと考えた。よそ者の私がその話を切り出すのは、相手に失礼になると思っていたからだ。一方で相手から基地問題などについての話題をふられた場合は、この数年付け焼き刃ながらも基地問題や、米軍海兵隊による沖縄の女性への性暴力について学んできた身としては、無難な態度でスルーできるのかという思いもあった。

「お店のことを聞きに来たのだから、その話にフォーカスすればいい。私から切り出さなければいいのだ」

そうは思っていたものの、たとえば石垣島でのベストセラーが行政によってもみ消されかけた『八重山を学ぶ』だったように、人々の暮らしと政治や歴史はとても近いところにあり、避けることは不可能だった。……いや、それは沖縄に限った話ではなくどこの島、どこの町でも同じだったのかもしれない。沖縄以外でも何度も、その島が抱える歴史や人々のまなざしを垣間見る瞬間はあった。しかしわずか数日しか滞在しないことを理由に、入り込むことに腰が引けていたことを思い知った。

本書に何度か登場する喜納えりかさんの車に同乗しながら、古書店を巡っていた時のことだ。彼女はがっつり時間を取って、那覇市内だけではなく宜野湾市や八重瀬町までの本屋&古本屋を案内してくれた。仕事で書店によく足を運ぶ彼女と店を訪れると、どこも途端に空気が和らいだ。もちろん1人で取材に行った場所もいくつもあるものの、地元を知る人と一緒にいることで、ヘンに肩肘はらずに取材を進めることができた。

移動の車の中で喜納さんが教えてくれて以来ファンになった、「むぎ(猫)」ちゃんのことや沖縄在住の作家のことを話していたが、内地の作家が沖縄について書くことに話題がシフトした。

たくさんの作家が沖縄や、沖縄の人やモノをテーマに記事を書いている。喜納さんはある作家の文章を取り上げながら、内地の人間の沖縄に対する「申し訳のなさ」に感じる違和感を口にした。

沖縄は確かにずっとアメリカと、ヤマトの犠牲になってきた。しかしそれは、今を生きている人たちが直接起こしたことではない。先代、先々代の過ちを申し訳なく感じ、エクスキューズをしながら沖縄やそこに住む人について語ることは多い。でもその姿勢が、互いの距離を縮めるうえでの決定的な壁になるのではないか。そう語った上で喜納さんは「私はその人そのものが好きなのだから」とも言った。それは在日コリアンの私にとっても、痛いほどわかる話だった。

歴史の悲惨な事実は事実として存在するし、日本が朝鮮半島を植民地支配していなかったら、おそらく私は民族的マイノリティとして、日本で生まれることもなかっただろう。そのおかげで日本語が母語になり、子どもの頃はほとんどキムチを食べてこなかった私に向かって、植民地支配をまるでなかったのように(日本人の自分たちと)「同じだよね」「変わらないよね」「一緒だよね」と無邪気に言うのは、支配者側の傲慢であり同化の強要でしかないと思う。とはいえ、常に加害者意識を持ちながら接されるのも、正直辛いものがある。直接的な加害者でもないのに、申し訳なさを感じながら相手に接する関係は、果たして対等といえるのか。

喜納さんの思いを聞きながら私は、そんなことを考えていた。でも、この問いに対する答えなど持っているわけもない。まとまらない思いを胸に抱えながら車のスピーカーから流れるラップを聴いていると、目的地に着いてしまった。だから問いへの思いを言葉にできないまま、この時は別れた。でもこの旅の頃から、気負いのようなものが取れた。そして「一瞬で通り過ぎる旅人なのだから」という遠慮も取れた。以来、島の取材は「楽しいけれど、色々考えちゃう」ものではなく、「色々考えることもあるけれど、楽しい」に変わった。字面だけ見るとほぼ同じだけど、大きな違いがあるのだ（と、私は思っている）。引けた腰もこの頃から、元の位置に戻った気もしている。

それが文字に反映されているかどうかは、正直自分ではよくわからない。が、そんなわけで今回は、朴順梨という人間が大きな島と小さな島の本屋を訪ねて驚き、喜びながらも、そこで出会った人や目にしたものに対して揺れたり立ち止まったりしている様子も、どこかから読み取れるのではないかと思う。また「せっかく来たのだから」という私のMOTTAINAI精神が発動し、沖縄に行くたびに複数の店を廻っていたことから、沖縄の本屋が多めになっている。

掲載時のメディアの事情で文字数に幅があるものの、取材した時間と記事に込めた熱の量は、どのエピソードも同じだということは自信を持って主張したい。すべての出会いが、今では私の宝だ。


時間の流れの中では、立ち止まることはできない。さすがにこの取材を始めてから15年も経ったので、私もミドサー（30代半ば）からアラフィフになってしまった。だから『離島の本屋』から読まれている中には、「老けたな」と感じる人もいるかもしれない。でもできれば「成長したな」と感じてもらえたらいいな、と思っている。

そして時間の流れの中で、立ち止まれないのは私に限ったことではない。2013年からの7年間に、伊豆大島の成瀬書店や宇久島の戸田屋書店だけではなく、『離島の本屋』に掲載した書店からも閉店のお知らせを幾度も受け取った。そのたびに「なんで閉店前に、また会いに行かなかったのだろう……」と悔やむばかりだった。

時間がなかったとか予算がなかったとか、毎回言い訳を探しては勝手に納得していた。しかし2020年に入った途端、人間の力ではどうにもならないことが起きて、移動が制限されるようになったのはご存知のとおりだ。

それまでは「気が向いたらいつでもどこにでも、自分の足で行ける」と思っていた。だが移動自体を自粛しないとならない世界の到来は、予想すらできなかった。

実は今回も、パンデミックの影響で取材が叶わなかった離島がある。だから私が元気で世界も元気なうちは、本屋を巡る旅を続けていきたい。あと1冊分ぐらいは記録しておきたい。さらなる続編がいつ出るのかは知れないけれど、今後も一緒に旅を続けていただければ、嬉しいことこの上ない。

この連載にかかわってくださっている、全ての方に感謝しつつ。

では、またお会いしましょう。

初出一覧

	タイトル	島名（県名）	掲載媒体	
1	止まりながら流れる本屋の時間	沖縄本島（沖縄県）	書き下ろし	
2	一度は消えた本屋の明かりを、また灯すことができた島	喜界島（鹿児島県）	LOVE書店！21号	★
3	教科書からちゃんぽんの素まで 150年以上続く理由はココに!?	宇久島（長崎県）	LOVE書店！20号	★
4	五島列島の「ホンビニ」から本が消えた日	宇久島（長崎県）	DANRO	
5	106年目を迎えた書店が今考える未来の選択とは？	種子島（鹿児島県）	LOVE書店！26号	
6	種子島で、宇宙と本屋を思う	種子島（鹿児島県）	DANRO	
7	世界遺産を目指す島での「おもてなし」は本屋の役目!?	佐渡島（新潟県）	LOVE書店！22号	★
8	伊豆大島の個性的な書店を14年後に再訪したら	伊豆大島（東京都）	DANRO	
9	本も売れればケーキも作って売る マルチな役割を持つ本屋の島	沖縄本島（沖縄県）	LOVE書店！23号	
10	沖縄の出版社と書店のときめく関係	沖縄本島（沖縄県）	DANRO	
11	かつてはレーシングカーとともに 今は地元の子どもたちとともに	沖縄本島（沖縄県）	LOVE書店！24号	
12	新刊も古本も雑貨も並ぶ「まちやぐゎー」な沖縄の書店	沖縄本島（沖縄県）	DANRO	
13	沖縄にあった「タトル」の記憶と、本がつなぐ交流	沖縄本島（沖縄県）	DANRO	
14	漫画雑誌に代わり、石垣島の書店が広める島の歴史	石垣島（沖縄県）	DANRO	
15	古書店事情 人と店に歴史あり	沖縄本島（沖縄県）	DANRO	
16	人々が一冊と出合うべく 島のあちこちに本を届ける	屋久島（鹿児島県）	LOVE書店！25号	
17	屋久島に、なくなった本屋の主人を訪ねる	屋久島（鹿児島県）	DANRO	
18	「離島の本屋」の遺伝子を探して	益子町（栃木県）	DANRO	

写真 ★およびカバー＝今井一詞 無印＝朴順梨

朴順梨　ぼく・じゅんり
1972年群馬県生まれ。フリーライター。早稲田大学卒業後、テレビ番組制作会社、雑誌編集者を経てフリーランスに。おもな著書に『離島の本屋』『太陽のひと』（いずれもころから）、『奥さまは愛国』（河出文庫、共著）がある。

離島の本屋ふたたび

大きな島と小さな島で本屋の灯りをともす人たち

2020年10月30日　初版発行
1600円＋税

著者
朴順梨

パブリッシャー
木瀬貴吉

装丁
安藤順

発行　ころから

〒115-0045
東京都北区赤羽1-19-7-603
TEL　03-5939-7950
FAX　03-5939-7951

Mail　office@korocolor.com
Web-site　http://korocolor.com
Web-shop　https://colobooks.com

ISBN 978-4-907239-47-3
C0095

mrmt